河出文庫

サンタクロースの贈物

クリスマス×ミステリーアンソロジー

新保博久 編

kawade bunko

河出書房新社

● 目次

サンタクロースの贈物

クリスマス×ミステリーアンソロジー

青いガーネット

アーサー・コナン・ドイル
小林司／東山あかね訳

アーサー・コナン・ドイル
一八五九―一九三〇。スコットランド生まれ。医師、作家、心霊主義者。名探偵シャーロック・ホームズの生みの親。一八八七年に『緋色の習作』を発表して以来、約四〇年間にわたり六〇篇の『ホームズ物語』を書く。

小林司（こばやし・つかさ）
一九二九―二〇一〇。精神科医、作家、シャーロキアン。著書に『「生きがい」とは何か』『愛とは何か』『ザメンホフ　世界共通語を創ったユダヤ人医師の物語』など多数。

東山あかね（ひがしやま・あかね）
一九四七年生。一九七七年に夫の小林司とともに日本シャーロック・ホームズ・クラブを創立。ホームズ関連本は夫との共著を含めて九〇冊にのぼる。

Arthur Conan Doyle: The Blue Carbuncle,1892

クリスマスの二日後の朝のこと、わたしは時候の挨拶をしようと、友人のシャーロック・ホームズを訪ねた。彼は紫色のガウンをはおり、ソファに横たわっていた。右手の届くところにパイプ立てが置いてあり、先ほどまで読んでいたと思われる朝刊が読み散らしたまま山になっていた。カウチのそばには木の椅子が一つあり、その背もたれの角に、ひどく使い古され、ひび割れた、みすぼらしくて固いフェルト製の帽子が掛けてあった。椅子の上には、ルーペとピンセットが置いてあった。それらを見ると、ホームズが、帽子を調べようとして椅子の背に掛けておいたものと思われる。

「忙しそうだなあ」と、わたしは言った。「お邪魔だろうね」

「そんなことはないよ。ぼくの調査結果について、話し合える友が来てくれて、うれしいね。まあ、取るに足りないことだが」そう言うとホームズは、親指で古い帽子を指し示した。「興味のある問題が全くないというわけではないし、教えられることもある」

わたしは、ホームズのひじかけ椅子に座り、パチパチと音をたてて燃えさかる、暖炉の火に手をかざした。外の寒気は身を切るようで、窓には厚く氷の結晶がはりついていた。「すると」わたしは感想を述べた。「このどこにでもありそうな帽子が、何か恐ろしい事件につながっているというわけかね。この帽子を手がかりにして、君は謎を解き、犯罪を解決しようというつもりだね」

「いや、そうではない。犯罪とは関係ないよ」と、笑いながらシャーロック・ホームズは言った。「わずか数平方マイル（一マイルは一・六キロメートル）の土地に四百万人もの人間がひしめき合っているのだから、奇妙な事件の一つくらいおきてもふしぎはないね。こんなに多くの人間がむらがって押しあいへしあいしているのだから、いろんな出来事が組み合わされてもおかしくないのだ。したがって、犯罪と関係はなくとも、驚くような奇妙な小事件がたくさんおこることになる。そんな事件に、ぼくたちも今までによくお目にかかったじゃないか」

「そう言われれば、そのとおりだ」と、わたしは答えた。「最近ぼくが事件記録に書き加えた六つの事件のことを考えてみても、そのうちの三つは、法律的にみれば犯罪ではなかったからね」

「そのとおりさ。君が言っているのは、アイリーン・アドラーの文書取り戻し事件と、メアリ・サザランド嬢の奇妙な事件、それに、唇の捩（ねじ）れた男の事件のことだね。たしかに、今回のこのささいな事件も、それらの事件と同様に犯罪にはつながらない類（たぐい）のものだろうがね。ところで、君は傷痍軍人組合員（コミッショネア）としてメッセンジャーをしているピータースンを知っているね？」

「知っているよ」

「この戦利品は、彼のものなのさ」

「ほう、彼の帽子というわけかい」

「そうじゃあない、彼が見つけてきたのさ。持ち主はわかっていない。さあ、君も、これを使い古した、ただの山高帽（やまたかぼう）として見るのではなく、これで頭の体操をしてみないかね。まあ、初めに、この帽子がどうやってここにやって来たかを説明しておこうか。この帽子は、クリスマスの朝に、丸々と太ったガチョウ一羽と共にここに来た。ガチョウは、きっと今頃ピータースンの家で焼かれていることだろうがね。つまり、こういうわけなのさ。ピータースンは、君も知っているだろうけれど、とてもきまじめな男だ。ちょっとそこらで、浮かれ騒いだあと、クリスマスの日の朝四時頃に家へ帰ろうと、トテナム・コート通りを通りかかった。すると、かなり背の高い男が、白いガチョウを肩にかついで少し千鳥足（ちどりあし）で歩いているのが、前方のガス灯の明りの中に見えた。グッジ街の角まで来ると、この見知らぬ男とならず者数人が喧嘩（けんか）を始めた。ならず者のうちの一人が男の帽子を叩き落とすと、男は身を守ろうとステッキを振り上げた。ところが、頭の上でステッキを振り回したはずみで、うしろの商店のショーウインドーのガラスを割ってしまったのだ。ピータースンは、この男をならず者たちから守ってやろうと、駆け出した。ところが男のほうは、ガラスを割って驚いているところへ、警官の制服のようなものを着た男が自分のほうへ駆けて来るのを見て、ガチョウを放り出し、一目散に逃げ出した。そして、トテナム・コート通りの裏手の狭くて迷路のような路地へ姿を消してしまったそうだ。ならず者たちもピータースンの姿を見ると逃げてしまったので、戦場にはピータースン一人になり、戦利品として、この使い古した帽子と特上のクリスマス用のガチョウにありついたということさ」

「ガチョウのほうは、もちろん持ち主に返したのだろうね?」

「君、そこに問題があるというわけなのさ。ガチョウの左足には『ヘンリー・ベイカー夫人へ』と書かれた小さいカードがついていたし、この帽子の裏地にも、『H・B』というイニシャルが入っている。しかし、この市には、ベイカーという人間は何千人もいるし、ヘンリー・ベイカーという人間だって何百人もいるだろうからね。そのうちの一人に落とし物を返すということは、簡単なことではないよ」

「それで、ピータースンはどうしたのかね?」

「彼は、ぼくが、どんなに取るに足りないような問題にも興味を持っていると知っているから、クリスマスの朝、ぼくのところへ帽子とガチョウを持ってきた。ガチョウは今朝までここに置いてあったのだが、いくら霜がおりる季節といっても、少しでも早く食べてしまったほうがよさそうな状態になってきた。それで、拾い主のピータースンが、ガチョウ本来の役目を果たさせてやろうと持って帰った。しかし、クリスマスのごちそうにありつきそこなった、誰だかわからない紳士の帽子は、ぼくのところにあるというわけだ」

「新聞に、広告は出ていなかったかい」

「出てはいない」

「それでは、誰なのか、何か手がかりがあるだろうか？」

「推理してみるしかないのさ」

「この帽子から？」

「そう」

「冗談じゃないよ。こんな古ぼけたボロ帽子から、何がわかるというのかい？」

「ほら、ここにルーペがある。君は、ぼくの方法を知っているね。この帽子の持ち主の特徴について、君も推理してみたまえ」

わたしは、その古ぼけた帽子を両手で持ち上げ、いやいやながらひっくり返してみた。それは、どこにでもあるような黒い丸型の帽子で、固くて、かぶりたくないほどにいたんでいた。裏地は赤い絹地だが、すっかり変色してしまっていた。製造会社の名は見つからなかったが、ホームズが言ったように、片側に「H・B」というイニシャルがなぐり書きされていた。帽子のつばには留め紐（ひも）を通す穴があいていたが、ゴム紐はついていていなかった。あちこちがひび割れて、ほこりまみれで、しみが数ヶ所についているのが目に入った。変色している部分にインクを塗ってごまかそうとした跡も見られた。

「ぼくには、何もわからないよ」わたしはそう言いながら、ホームズに帽子を返した。

「そんなことはないだろう、ワトスン。君は何もかも見ているはずなのに、見たものから推理していないだけなのだ。引っ込み思案になっていて、思い切った推理ができないだけさ」

「というと、君はこの帽子からどんなことを推理したのか、聞かせてほしいね」

ホームズは帽子を取り上げ、静かに考えをめぐらせるときの彼特有のポーズで、それをじっと見つめていた。「あまり確かな手がかりはつかめないが」と、彼は述べた。「それでもきわめてはっきり、二、三の点については推理できるし、その他にも、かなり確実な線まで推理できることが幾つかあるよ。まず、ひと目見てわかったことといえば、この帽子の持ち主は非常にすぐれた知能の持ち主だということだ。今は落ちぶれているが、二、三年前にはかなり裕福な暮しをしていたことも確かだ。また、彼は思慮深い人間だったが、今は前ほどではなく、精神力がおとろえていることもわかる。これは、彼が今は落ちぶれていることと一緒に考えてみると、何か悪い習慣がついて、おそらく酒にでもおぼれたのだろうね。彼の細君が彼に愛想をつかしているということがきわめてはっきりしているのは、きっとそのためだろうね」

「とんでもないよ、ホームズ！」

「しかし、自尊心はある程度残っている」わたしの抗議を無視して、ホームズは話し続けた。「ほとんど椅子に腰かけたきりの生活で、めったに外へ出かけることはない。全くの運動不足で、中年。髪は白髪混じりで、二、三日前に散髪したところだ。ライムの香料入りへアクリームを使っている。この帽子から推理できるはっきりしたことといえば、このくらいだね。ついでに言うと、彼の家にはおそらくガスは引かれていないようだ」

「そんな。冗談を言っているのだろう、ホームズ」

「とんでもない。これだけ結論を話しても、君にはそれがどうしてなのか、まだわからないとでも言うのかい？」

「まあ、確かにぼくは頭が悪いよ。君にはとてもついていけない。たとえば、彼がすぐれた知能をもっているということがどうしてわかるのかね？」

　ホームズは、答える代りに、帽子を自分の頭にひょいと載せた。帽子でひたいがすっぽり隠れてしまい、鼻の上のところでとまった。「つまり、容積の問題さ」と、彼は答えた。「これほど大きい頭には、中身もずいぶんたくさん詰まっているというものさ」

「それなら、今は落ちぶれているというのは？」

「この帽子は、買ってから三年は経っている。こういう、つばが平たくて端が巻きあがっている型は、その頃の流行だ。それに、これは最高級の品だ。リボンはうね織(お)りの絹製で、裏地も上等なのを見てみたまえ。これほどぜいたくな帽子を、三年前には買うことができたのに、それからあとは、新しいものを買っていないとすれば、どう考えても、落ちぶれたとしか考えられないよ」

「なるほどね。それは確かに、君の言うとおりだ。しかし、思慮深いとか、精神力がおとろえたとかいうのは、どうしてわかる?」

シャーロック・ホームズは、笑った。「これが、思慮深さを示しているのさ」と言って、彼は帽子の留め紐を通す小さな穴を指さした。「これは、初めから帽子についていたものではない。これをわざわざつけさせて、風で帽子が飛ばないようにしていたのだから、かなり思慮深い人間ということになる。ところが、今はゴム紐が切れてなくなっているのに、新しいものに付け替えようとしていない。だから、前ほど思慮深さがないというのは、はっきりしている。これは、精神力が弱くなったという、はっきりした証拠だよ。しかし、帽子にインクを塗って、変色を隠そうとしているところは、自尊心をすべてなくしたわけではないことを物語っているね」

「君の説明は、言われてみればもっともだね」

「そのほかの、中年だとか、白髪混じりの髪で散髪したばかりだとか、ライム香料入りのヘアクリームをつけているということは、裏地の下のほうを注意深く調べればわかる。

ルーペを使うと、理髪店のはさみでカットされた短い髪の毛がたくさんついているのが見えた。そして、それがみなねばついているし、ライム香料入りへアクリームの臭いがしている。そう、その他に君にも見えるこのほこりだけれど、外のざらざらした灰色のほこりではなく、家の中の綿ごみのような茶色のほこりだ。ということは、この帽子はおおかたの時間は室内に掛けっぱなしになっていたということになる。それに、内側に水がしみたような跡が残っているのは、これの持ち主は大変な汗かきで、体の鍛練(たんれん)がよくできていないらしい」

「この男の細君は亭主に愛想をつかしていると君は言ったけれど、それはどうしてかね」

「この帽子は何週間もブラシをかけていないのでほこりがつもっているようだ。ねえ、ワトスン、そんな状態の帽子で、もし君の奥さんが君を外出させているとしたら、まあ気のどくだけれど、君は奥さんから愛想をつかされているとぼくは思うだろうね」

「しかし、この男は、独身かもしれないじゃあないか」

「そんなことはない。彼は、細君のご機嫌取りの贈り物としてガチョウを持って帰るところだった。鳥の足についていたカードを忘れてはいけないよ」

「君は、どんな質問にでも答えられるね。しかし、彼の家にガスが引いてないということは、どうして推理できたのかね?」

「獣脂ろうそくのしみが、一つか二つなら偶然についたとも考えられるけれど、五つ以上もついているとなれば、いつもろうそくを使わなければならない人物だということになる。おそらくは、夜は片手に帽子、片手に蠟の垂れるろうそくを持って階段を登る人物と考えて、まず間違いはないだろう。いずれにしても、ガス灯の口から、蠟が垂れるということはないからね。これでいいかね？」

「なるほど。まったく見事だ」と、わたしは笑いながら言った。「しかし、君が今言ったように、犯罪に関係がなくて、被害はガチョウが一羽紛失したということなら、君の努力も、エネルギーの浪費ということになりそうだね」

シャーロック・ホームズが口を開きかけた時、ドアがぱっと開き、傷痍軍人組合員のピータースンが、真っ赤な顔をして、驚きの表情いっぱいで飛び込んできた。

「ガチョウが、ホームズさん！　あのガチョウが」彼は、息も絶えだえに叫んだ。

「え？　ガチョウがどうしたというのだね？　生き返って、台所の窓からでも飛んでいったというのかい？」ホームズはソファの上で体をねじり、興奮した相手の顔をもっとよく見ようとした。

「見てくださいよ。うちの女房のやつが、あの鳥の餌袋から何を見つけたのかを！」ピータースンの差し出した手のひらの真ん中に、青くきらきらとかがやく石があった。そら豆より少し小さいくらいの大きさだったが、すばらしい光を放ち、暗い手のくぼみの中で電光のようにきらめいていた。

シャーロック・ホームズは、口笛を吹いて起き上がった。「ピータースン、お手がらだよ」と、彼は言った。「これはすごい宝物の発見だ。これが何だか、君にもわかるだろう？」

「ダイヤモンドでしょう？　宝石ですよね。ガラスがまるでパテのように思いのままに切れるんですから」

「宝石といっても、これはただの宝石ではない。これは、まさにあの宝石さ」

「モーカー伯爵夫人の、青いガーネットじゃないか！」と、わたしは思わず叫んだ。

「そう、そのとおり。このところ毎日『タイムズ』紙を賑わせている広告を読んでいるから、大きさも形もよくわかっている。全く、この世に二つとない、すばらしい宝石で、どのくらいの値打ちがあるかは誰にもわからないが、賞金の千ポンドは、この宝石の市価のおそらく二十分の一にもあたらないだろうね」

「千ポンドだって！　これは驚きだ！」コミッショネアは椅子にへたりこむと、わたしたちの顔を順番に見つめた。

「それは賞金のことさ。あの宝石には、深い思い出が秘められている。伯爵夫人は、それを取り戻すためになら、自分の財産の半分でも投げ出すと考えて、まず間違いはない」

「ぼくの記憶に間違いがなければ、紛失したのは、ホテル・コスモポリタンだったね」と、わたしは述べた。

「そう、そのとおり。十二月二十二日だから、ちょうど五日前になる。鉛管工のジョン・ホーナーという男が、伯爵夫人の宝石箱からそれを盗み出した疑いで捕まっている。彼に不利な、強力な証拠があがって、事件は巡回裁判にまわされているのだ。ここにもたしかその記録が出ていたはずだが」日付を見ながら、新聞の山をかきまわしていたホームズは、一枚を抜き出ししわを伸ばすと、二つに折って次のような記事を読み上げた――。

ホテル・コスモポリタン宝石盗難事件

鉛管工ジョン・ホーナー（二十六歳）は、今月二十二日に、モーカー伯爵夫人の宝石箱から、青いガーネットと呼ばれている、高価な宝石を盗み出した疑いで、逮捕された。ホテルの案内係主任ジェイムズ・ライダーは、事件当日、自分がホーナーを伯爵夫人の化粧室へ案内し、暖炉の二本めの鉄格子がゆるんでいるのを、はんだ付けさせたと証言している。ライダーは、しばらくホーナーと一緒にいたが、用事で呼ばれて部屋を出ていった。戻ってみると、ホーナーの姿は消えていて、衣装だんすがこじあけられていた。あとでわかったのだが、伯爵夫人がいつも宝石を入れていたモロッコ革の小箱がからになって、化粧テーブルの上に置かれていた。ライダーがすぐに警察に知らせたので、ホーナーはその日の夜には逮捕された。ところが、彼の体からも、その部屋からも、宝石は発見されなかった。伯爵夫人のメイド、キャサリン・キューザクは、被害を発見したライダーが驚きのあまり、叫び声をあげたのを聞きつけて、化粧室に駆け込んだ。その時の室内の様子は、ライダーが話したとおりだと証言している。ホーナーは、逮捕されたとき激しく抵抗して、あくまでも無罪を訴えたと、B管区のブラッドストリート警部は証言している。しかし、盗みの前科があることがわかったので、治安判事は、この事件を即決裁判にかけるのではなく、巡回裁判にかけることにした。取調べ中、ホーナーはひどく興奮した様子で、取調べが終わるやいなや、気絶して、法廷から運び出された。

「そう！　警察裁判所に関することは、これだけだ」と、ホームズは新聞を投げ出すと、考え深げに言った。「今、ぼくたちが解決すべき問題は、からになった宝石箱からトテナム・コート通りに落ちていたガチョウの餌袋までの間に、どんな事件が、どうつながっているかを確かめることだ。ねえ、ワトスン。ぼくたちのちょっとした推理ゲームが、急にきわめて重大な犯罪に関係のあるものに発展してきたようだね。ここに、その宝石がある。それはガチョウから出てきた。そして、そのガチョウを持っていたのはヘンリー・ベイカー氏で、彼はこの古ぼけた帽子をかぶっていて、ぼくから君がいやというほど聞かされたような特徴をもっている紳士だ。今ぼくたちがまずなすべきことは、この紳士を発見し、彼がこのちょっとした謎にどのような役目を果たしているかをつきとめることだよ。そのために、すべての夕刊に広告を出すことが、まず一番手軽な方法だろうね。それがだめだったら、次の方法を考えよう」

「どういう広告を出すのかね?」

「鉛筆と紙をとってくれたまえ。そしてと、『グッジ街の角で、ガチョウ一羽と黒い山高帽を拾いました。今夕六時三十分、ヘンリー・ベイカー氏は、ベイカー街二二一Bまで受け取りに来てください』――これは、はっきりしていて、簡潔だろう」

「そうだね。しかし、本人は見るだろうか?」

「うん、彼は、新聞には、気をつけているだろうからね。なんといっても、貧しい彼にとっては大損害だ。運悪く、ショーウインドーを割ってしまい、ピーターースンが駆けつけてきたのに驚いた彼は、逃げるしか頭に浮かばなかったのだろう。しかし今頃は、せっかくのガチョウをとっさに投げ出してきたことを、きっと後悔しているに違いない。それに、名前を書いておけば、彼を知っている人が教えてくれるだろう。ほら、ピーターースン、広告代理店へ急いで、これを夕刊に載せるようにしてもらってくれたまえ」

「どの新聞にですか?」

「そう、『グローブ』『スター』『ペル・メル』『セント・ジェイムズ・ガゼット』『イヴニング・ニューズ』『スタンダード』『エコー』、ほかにも、君が思いついたもの全部に出しておいてほしいね」

「承知しました。この宝石は、どういたしましょう？」

「ああ、そうだね。それは、ぼくが預かっておくよ。ご苦労さま。ピータースン、それから、帰りがけにガチョウを一羽買ってきて、ここへ置いていってほしいね。今頃、君の家族が平らげているガチョウの代りに、この紳士に返す分を、用意しておかなければならないからね」

　コミッショネアが出ていくと、ホームズは宝石を手にとり、光にかざして言った。

「見事なものだね。この美しいかがやきを見てみたまえ。これが犯罪のもとになるというのも、うなずけるね。いい宝石というのは、みなそういうものだ。悪魔が好む、餌だね。もっと大きくて、古い宝石になれば、カットされている面の数と同じくらい、それにまつわる血なまぐさい事件があるものさ。この宝石は、見つかってから、まだ二十年も経っていないからね。中国南部の廈門（アモイ）川の沿岸で発見されたもので、色がルビーのような赤い色でなくて青であることのほかは、あらゆる点でガーネットの特徴を備えているということで有名になったのさ。歴史が浅いわりに、すでに不吉な影がおおっている。わずか四十グレインの炭素の結晶のために、殺人が二件、硫酸をあびせた事件と自殺がそれぞれ一件、それに窃盗事件も数回おきている。こんなに美しいおもちゃが、人を絞首台や監獄へ送り込む役を果たしているとは考えられないね。さて、これはぼくの金庫に、きちんと保管しておくとしよう。そして伯爵夫人に、ぼくたちが保管していることを、手紙でお知らせしておこうか」

「ホーナーという男は、無実だろうか？」

「それはわからないね」

「じゃあ、ヘンリー・ベイカーのほうは、何か事件とかかわりがあると思うかね？」

「ヘンリー・ベイカーは、おそらく犯罪とは全く無関係と考えて間違いないだろう。なにしろ、自分が持ち歩いていたガチョウが、純金製の鳥よりもさらにもっと値打ちがあることなぞ、つゆほども知らなかったようだからね。しかし、このことは、広告を見て本人が現われれば、きわめて簡単なテストをして確かめられると思うよ」

「それでは、それまでは手の打ちようがないのかね？」

「そうさ」

「それならば、ぼくはあとひとまわり往診してこようか。しかし夕方、広告に書いた時刻には、戻ってくるよ。こういう複雑な事件の解決を、ぜひ見届けておきたいからね」

「ぜひ、そうしたまえ。夕食は七時。たぶんヤマシギの料理だろう。ところで、近頃この手の事件がはやっているとすれば、ハドソン夫人にも、ヤマシギの餌袋をよく調べてくれと言わなくちゃあね」

わたしは、ある患者に手間どったため、ベイカー街へ戻った時には六時三十分を少し回っていた。下宿に近づいた時、スコッチ帽子をかぶり、コートのボタンをあごの下で留めている背の高い男が、玄関のドアの上の明りとりからもれる半円形の明りに照らされて立っているのが見えた。わたしがちょうど玄関に着いた時ドアが開いたので、わたしたちは一緒にホームズの部屋へ通された。

「ヘンリー・ベイカーさんですね」ひじかけ椅子から立ち上がると、彼はいつものように、たちまち愛想よく、気楽な雰囲気で客を迎え入れた。「火の近くの椅子へどうぞ、ベイカーさん。今夜は冷えますから。お顔の色からしまして、冬より夏のほうが、調子がよいようにお見うけします。ああ、ワトスン、ちょうどまに合ったね。ベイカーさん、あれはあなたの帽子ですか？」

「はい、そうです。あれは間違いなく、わたしの帽子ですが」

ベイカーは、猫背の大男だった。ずっしりとした大きな頭で、幅広の知性的な顔は、あごのほうへいくと細くなり、先の尖った、白髪混じりの茶色のあごひげへと続いていた。鼻とほおは少し赤くなっていて、握手のために差し出した手が、わずかに震えていたことから、わたしはホームズが推測した、彼の酒好きの癖を思い出した。色あせた黒のフロックコートの襟を立て、前のボタンを全部かけ、細い手首をそでから突き出していたが、カフスもシャツもつけていないようだった。

　彼は、言葉を一語一語ていねいに選び、低い声でとぎれとぎれに話した。全体的には、学問も教養もあるにもかかわらず、不運な人生を送っているという印象だった。

「この品は、数日前からお預かりしていました」と、ホームズは言った。「あなたのほうから、連絡先を広告してくださると思ったものですから。広告を、なぜ出されなかったのかと困っていました」

　客は、きまり悪げに笑った。「なんと申しましても、金まわりが昔ほどよくないものでして」と、彼は述べた。「わたしを襲ってきた悪者たちに、帽子もガチョウも持って行かれたとばかり思っていましたものでね。取り戻せる望みもないのに、余分な金など使いたくはありませんでした」

「それは、ごもっともです。ところで、そのガチョウのことですが、止むをえずこちらで食べてしまいました」

「食べてしまったのですか！」客は興奮のあまり、椅子からなかば立ち上がりかけた。

「そう。そうしないと、いたんでしまって、もう誰の口にも入らないようになっていたでしょうからね。しかし、あの食器棚の上には、代りのガチョウが置いてあります。目方もほとんど同じですし、全く新鮮ですから、これで代りにしていただけるだろうと思っています」

「はい、それでもちろん結構です。結構ですとも」ベイカー氏は、安どの息をもらした。

「もちろん、あなたのガチョウの、羽や足や餌袋などはとってあります。もし、お要り用でしたら……」

ベイカー氏は、いかにもおかしそうな笑い声をあげた。「それは、わたしの冒険のよい記念品になるかもしれませんが」と、彼は言った。「今は亡きわが友の遺体は、わたしにとってはもうなんの役にも立ちません。それよりも、お許しいただけるのでしたら、あの食器棚の上にのっている素晴らしいガチョウを頂戴してまいりたいものです」

シャーロック・ホームズは、ちらっとわたしの方を見ると、肩をちょっとすくめた。

「ここに、あなたの帽子とガチョウがあります」と、ホームズは言った。「ついでに、はじめのガチョウの入手先を教えていただけませんか？　ぼくは、鳥にかけてはちょっとした通ですが、あれほどよく育っているガチョウにはめったにお目にかかったことはありませんのでね」

「おやすいことです」すでに立ち上がって新しいガチョウを小脇に抱えていたベイカーは言った。「博物館の近くにあるアルファ・インというパブに、わたしの仲間二、三人が常連として出入りしています。わたしたちは昼間、博物館にいます。今年は、その店の主人のウィンディゲイトという男が、ガチョウ・クラブというのを創ったのです。毎週、幾ペンスかずつ会費を払っておきますと、クリスマスにガチョウが一羽もらえるという仕組です。わたしは、きちんきちんと会費を納めたのですが、あんなことになってしまいました。あなたのおかげでほんとうに助かりました。なにしろ、スコッチ帽子をかぶっていたのではわたしの年齢には不似合いですし、威厳も出ませんからね」ベイカー氏は、おかしいくらいにていねいな態度で、わたしたち二人に向かって、深々と頭を下げると、大またで部屋を出ていった。

「ヘンリー・ベイカー氏は、これで済んだ」客を送り出し、ドアを閉めると、ホームズは言った。「あの男が、この事件について何も知らないのは確かだ。ワトスン、お腹がすいているかね？」

「それほどでもないよ」

「それなら、夕食は夜食にまわすことにして、ほとぼりのさめないうちにこの手がかりを追ってみようよ」

「それがいいね」

身を切るような寒い夜だったので、わたしたちはアルスター外套を着て、首にはスカーフを巻いた。外は、雲ひとつない夜空で、星が冷たく輝いていた。道行く人々の吐く息は、白い煙のようになり、まるでそれぞれが、ピストルを発射しているようだった。わたしたちは靴音をコツコツとひびかせて、医院地区のウィンポール街、ハーリー街を通り、さらにウィグモア街を抜けてオックスフォード街へ出た。そして、十五分後にはブルームズバリにあるアルファ・インにたどり着いた。それは、ホウバンへ通じる道の角の、小さなパブだった。

ホームズは、プライベイト・バーのほうのドアを押して中に入り、顔色の良い、白いエプロンをかけた主人に、ビールを二杯注文した。

「このビールも、お宅の店のガチョウと同じくらい上等なら、たいしたもんだがね」と、ホームズは言った。

「うちのガチョウですって！」主人は驚いたようだった。

「そうだよ。ぼくは今しがた、三十分前までここのガチョウ・クラブの会員のヘンリー・ベイカーさんと話をしていたのだがね」

「ああ！　そうか、わかったよ。しかし、だんな、あれはうちのガチョウっていうわけじゃありませんよ」

「ほう！　じゃあ、いったいどこのものなのかね」

「コヴェント・ガーデンの仲買人（なかがいにん）から、二ダース仕入れたやつでね」

「ほう？　あそこには知っている店もあるが、どこのかね？」

「ブレッキンリッジのところですがね」

「いや、それは聞いたことがなかったな。まあ、おやじさん、あんたの健康とこの店の繁盛のために、乾杯といこう。では、失礼しようか」

「さあ、お次はブレッキンリッジという男だ」凍りつくような寒気の中へ出ると、ホームズは、コートのボタンをかけながら続けた。「ねえ、ワトスン。鎖のこちらの端は、ガチョウというきわめてありふれたものだが、もう一方の端には、ぼくたちが無実を証明してやらなかったら懲役七年の刑を受ける男がいることを忘れてはいけないのだ。しかし、もしかしたら、ぼくたちの調査のためにその男の有罪が確認されるという結果になるかもしれないがね。とにかく、いずれにしてもぼくたちは、警察が見逃した捜査の糸口をひょんなことから手に入れている。ひとつ、この糸を最後までたぐってみようじゃないか。さあ、南向け南、早足前進！」

わたしたちは、ホウバン区を横切り、エンデル街を抜け、曲がりくねったスラム街を通ってコヴェント・ガーデン市場へ出た。大きな店の一軒に、ブレッキンリッジの看板があがっていた。ほおひげをきちんと刈りそろえた、鋭い顔で、いかにも競馬好きのように見える店の亭主が、小僧と二人で店を閉めているところだった。

「こんばんは。今日は冷えるね」ホームズが声をかけた。

仲買人は、うなずきながら、うさんくさそうにホームズを見た。

「ガチョウは売り切れのようだが」何もない、大理石板の売り台を指さして、ホームズは続けた。

「明日の朝なら、五百羽でも売るがね」

「それでは何にもならないのさ」

「じゃあ、あそこの、ガス灯がともってる店へ行けば少しはあるだろうよ」

「しかし、あんたの店のがいいって聞いてきたからね」

「誰にだい？」

「アルファのおやじさんさ」

「ああ、そうか。あそこへは、二ダース届けたよ」

「あれもすばらしい鳥だった。どこで仕入れたのかね？」

驚いたことに、この質問をされたとたん、仲買人は急に怒り始めた。

「だんな、いったい」と、彼は頭をぐっと反らせ、両手を腰に当てて言った。「何があるっていうんです。ひとつ、そいつをはっきりしてもらおうじゃないか」

「こんなにはっきりしていることはないよ。あんたがアルファ・インへ卸(おろ)したガチョウは、どこから仕入れたか知りたいだけさ」

「そんなことには答えられないね。さあ、もう帰ってもらおうか！」

「まあ、そう、たいしたことはないじゃないか。こんなつまらんことで、あんたがどうしてそんなに怒っているのか、わからないよ」

「怒っているって！　あんただって、こんなに次々にしつこく聞かれりゃ、怒りもしようってもんだよ。いい品物を仕入れて、きちんとその代金を払えば、取引きは終りだよ。

それをだよ、あとになってから、『あのガチョウはどこに行ったか』とか、『誰に売った』とか、『いくらで売った』とか、小うるさく聞きにくる。まるでこの世の中には、ガチョウがあれだけしかいないような騒ぎぶりだ」

「しかし、ぼくは前にやって来た連中とは何の関係もないね」と、ホームズはかまわずに言った。「まあ、もし君が話してくれないっていうのなら、賭けがだめになるだけのことだ。なんていったって、ぼくは食用の鳥のことになるといつだって賭けをするのでね。今度食べたガチョウも、いなか育ちだって五ポンド賭けてあるんだ」

「それじゃ、あんたの五ポンドは取られたよ。あれは町育ちだからね」仲買人はぴしっと決めつけた。

「そんなわけはないだろう」

「確かに、そうだよ」

「そりゃあ、信じられないね」

「するっていうと、あんたは、がきの頃からこの商売をやってるあっしよりも、鳥に詳しいとでも言うのかい。アルファ・インへ卸したやつは、みんな町育ちだよ」

「いくら言われたって、そりゃ、信じられないね」

「じゃあ、賭けるか?」

「ぼくが正しいんだから、君は金を巻き上げられるだけだね。まあ、強情を張るとろくなことはないっていう教訓のために、ソヴリン金貨を一つ賭けてもいいね」

仲買人は、気味悪く含み笑いをして、「ビル、帳簿(ちょうぼ)を持っといで」と言った。

小僧は、小型の薄いノートと、手あかで汚れた背表紙のついた大きな台帳を持ってくると、吊りランプの下に並べて置いた。

「さあ、うぬぼれ屋さんよ」と、卸し屋は言った。「ガチョウはみんな売り切れだと思ったが、おかげで店をしまう前に、もう一羽売れ残っていることがわかったよ。ほら、こっちの小さいノートを見なよ」

「ほ、ほう」

「うちの仕入れ先名簿だよ。いいかい？　このページは田舎の仕入れ先が書いてある。名前のあとに書いてある数字は、こっちの大きい台帳のページ数だ。さあ、今度はこっちだ！　この赤インクで書いてあるページを見てみな。これは町の仕入れ先の名簿さ。ほれ、この三番めだ。読んでみるがいいや」

「ミセス・オークショット、ブリクストン通り一一七――二四九ページ」と、ホームズは読み上げた。

「そう、そのとおりさ。今度はそれを、台帳のほうで当たってみな」

ホームズは、台帳の二百四十九ページを開いた。

「ほほう、これだな――。ミセス・オークショット、ブリクストン通り一一七、卵、ニワトリ、アヒルなどの卸し」

「それで、最後の記帳はどうなっているかい？」

「――十二月二十二日、ガチョウ二十四羽、七シリング六ペンス――」

「ほうら、どうだい。やっぱり、言ったとおりだろうが。それで、その下には何と書いてあるかな？」

「――アルファ・インのウィンディゲイト氏に、十二シリングで売却――」

「さあ、これでもあんたは、何か言うことがあるかい？」

シャーロック・ホームズは、ひどく悔しそうな顔つきをした。ポケットから一ソヴリン金貨を取り出すと、売り台の上に投げつけ、悔しくて口もききたくないというふうにその場を離れた。しかし、何ヤード（数メートル）か行ったところで、街灯の下で立ちどまると、ホームズ特有の、声を出さない笑い方で笑いころげた。

「あごひげをああいうふうに刈り込んでいて、ポケットから、スポーツ新聞の『ピンク・アン』をのぞかせている男は、賭けの話で釣れると思っていいね」と、ホームズは言った。「あの男は、賭けでぼくから一本取ってやろうと思って、何もかもしゃべったのさ。たとえ百ポンド積んでも、普通ではこうは洗いざらい話してはくれないだろうね。ところで、ワトスン、われわれの調査もそろそろ大詰めに近づいたようだね。今夜すぐにオークショット夫人のところへ行くか、それとも明日に延ばすかが残された問題さ。

あの、気むずかし屋のおやじが言ったことからすると、この件を気にしている者が、ぼくたちのほかにもいることは確かだね。とすれば、ぼくは……」

その時、今しがた出てきた店先で急に大きなどなり声が聞こえてきたので、ホームズの言葉は遮られた。

振り返ると、揺れ動く吊りランプの黄色い光の輪の中に、ネズミのような顔をした、小柄な男が立っていた。店の戸口には、仲買人のブレッキンリッジが立ちはだかり、頭をぺこぺこ下げる相手に向かい、ひどいけんまくで拳をあげていた。

「おまえもガチョウも、いい加減にしろ！」と、彼は叫んだ。「一緒に地獄まで行っちまえ。これ以上ばかげたことをしつこく言うなら、犬をけしかけるからそう思え。オークショットのおかみを、ここへ連れて来い。おかみになら返事をしてやろうじゃないか。しかし、おまえさんとガチョウとどういう関係があるっていうんだ。おれがおまえさんから、ガチョウを買ったとでも言うのか」

「しかしですよ、あのうちの一羽は、ぼくのものなのですよ」と、小柄な男は哀れそうに言った。

「それなら、オークショットのおかみにでも、聞いてみろよ」

「そうしたら、あなたに聞いてみろと言われたものですから」

「ふん、そんなことは、プロシアの王さまにでも聞いてみるんだな。もうたくさんだね。

とっとと消え失せろ」彼がすごい勢いで飛びかかると、質問していた小男はさっと身をおどらせて、暗闇の中へ消えていった。

「ほほう！　これはブリクストン通りまで行かずに済むかもしれないね」と、ホームズがささやいた。「さあ、行ってみよう。あの男から何かをつきとめてやろうではないか」ところどころまだ明りがともる店先に群れる人混みを大またにすりぬけると、ホームズはすばやく、その小柄な男に追いつき、肩に手をかけた。小柄な男は、びっくりして振り返った。ガス灯の光に照らされた顔には、血の気が全くなかった。

「いったい、どなたです？　何のご用です？」小柄な男は、ふるえ声でたずねた。

「失礼ですが」と、ホームズはていねいに言った。「今あなたがあの店の主人にたずねておいでのことが、耳にはいりましたので。わたしがお役に立てるかと思いますが」

「あなたがですか？　いったい、あなたはどなたですか？　なぜこの件について知っているのです？」

「わたしは、シャーロック・ホームズです。ほかの人が知らないことを知っているのが、わたしの仕事です」

「しかし、このことについては、知っているはずはないでしょう」

「失礼ながら、何もかも知っていますよ。あなたは、ブリクストン通りのオークショット夫人が売りに出したガチョウの行方をつきとめようとなさっている。そのガチョウは、ブレッキンリッジという仲買人に売られ、そこからアルファ・インのウィンディゲイト氏に売られた。そして、ガチョウ・クラブの会員の一人、ヘンリー・ベイカー氏へと渡った」

「ああ、あなたこそが、わたしがお会いしたいと思っていたお方です」小柄な男は両手をさしのべると、指をふるわせながら叫んだ。「わたしがこの件についてどれだけ関心をもっていたかは、とても説明しきれません」

シャーロック・ホームズは、通りかかった四輪馬車を呼び止めた。「それでは、このような吹きさらしの市場にいるよりも、暖かい部屋で話し合ったほうがよさそうですね」と、ホームズは言った。「しかし、その前に、わたしがお役に立ってさし上げようという方のお名前をうかがいたいですね」

男は、一瞬ためらって言った。「ジョン・ロビンスンです」と答えて、横目でちらりとこちらを見た。

「いえ、いえ、ご本名でお願いします」とホームズは、にこやかに言った。「偽名では、仕事が進めにくいものでしてね」

この見知らぬ男の、白いほおがさっと赤くなった。「それでは、実は」と、彼は言った。「わたしは本名をジェイムズ・ライダーといいます」

「そのとおりでしょう。そして、コスモポリタン・ホテルの案内係主任ですね。さあ、馬車にお乗りください。すぐに、あなたがお知りになりたいことは、みなお話ししますよ」

小柄な男は、自分が思いもかけない幸運にありつけるのか、それとも身に破滅が迫っているのかわかりかねて、恐怖と希望の入り混じった目つきで、わたしたちを見くらべて立っていた。そして、結局、彼は、馬車に乗りこんだ。三十分後には、わたしたちはベイカー街の居間に着いた。来る途中では誰も口を開こうとはしなかったが、わたしたちの新しい連れは、息づかいも荒く、手を握ったり開いたりしていた。それを見て、わたしは、彼が心のうちで興奮し、緊張しきっていることがよくわかった。

「さあ、着きましたよ」三人がそろって部屋に入ると、ホームズは明るく言った。「このような気候のときは、火の傍がなによりです。ライダーさん、寒そうですね。さあ、どうぞ、その籐椅子にお座りください。あなたの、このちょっとした問題を片づける前に、ちょっとスリッパをはきかえますので。さあ、これでよしと。あなたは、オークショット夫人が売ったガチョウ群の行方をお知りになりたいのですね？」

「そうです」

「というよりは、特別なガチョウのことでしょう。あなたが関心があるのは、一羽のガチョウ、つまり尾に黒い縞がついている、白いものだと思いますが」

ライダーは興奮のあまり、ふるえ始めた。「ああ、そうなのです」と、彼は叫んだ。

「それがどこへ行ったか、教えてもらえますか？」

「ここに来ましたよ」

「ここへ？」

「そう、あれは全く、すばらしい鳥でした。あなたが関心を持つのも、もっともなことです。なにしろ、死んでも卵を産むのですから――。今まで一度も見たことがないほど美しく光り輝く、小さな青い卵ですよ。わたしの、ここにある博物館に保管してあります」

　客はよろよろと立ち上がると、右手で暖炉棚につかまった。ホームズは金庫を開けると、青いガーネットを取り出した。宝石は冷たい光を放ち、たくさんの面で光を放散して、まるで星のように光り輝いていた。ライダーは、宝石が自分のものだと言うべきか黙っているべきか迷って、顔をゆがめて見入り、立ち尽くしていた。

「勝負はあったね、ライダー」と、ホームズが静かに言った。「ほら、しっかりつかまっていないと、火の中へ落ちるよ！　ワトスン、手を貸して、椅子に座らせてくれたまえ。この男は、大きな犯罪をするだけの血の気はなさそうだ。ブランデーを少し飲ませてやって。そう！　それで少し、ひと心地がついてきただろう。なんとも情けない男だ」

　ライダーは、少しの間ふらついて、今にも倒れそうだった。しかし、ブランデーでほおに赤みがさしてくると、座ったまま、自分を問いつめるホームズを、おびえた目で見つめた。

「ぼくは、事件の経過もおおよそわかっている。必要な証拠もすべて押さえているから、今さら君から聞き出さなければならないことは、もうほとんどないのだがね。しかし、この事件を完全なものにするために、幾つかの点について、はっきりさせておいたほうがよさそうだ。ライダー、君は、モーカー伯爵夫人のこの青い宝石のことは前から知っていたのかね？」

「キャサリン・キューザクから聞きました」彼は、かすれた声で答えた。

「なるほど——伯爵夫人のメイドだね。まあ、君より立派な連中でも、急にお金が入るという誘惑には負けることがあるから、無理もない。しかし、君のやり口は、悪質だったね。ライダー、君はどうも、悪人になる素質があるようだ。鉛管工のホーナーが盗みの前科があるのをいいことに、君は、彼に疑いがかかることを承知していた。そこで、何をやったのかな？　伯爵夫人の部屋に、ちょっとした細工を仕掛けたというわけだ。キューザクと共謀して、ホーナーが修理人として呼ばれるように仕組んだのだ。彼が帰ったあとで、宝石箱からお目当ての品を盗み出して、泥棒だと騒ぎ立て、気のどくな男は逮捕された。それから、君は……」

ライダーは、突然敷物の上にひざまずき、ホームズの膝にすがりついた。「どうぞ、お慈悲をおかけください！」と、彼は金切り声をあげた。「わたしの父親のことを、お考えください！　母親のことも！　どれほど悲しむことでしょうか。これまで一度も、悪事をはたらいたことはありません！　もう二度と再び、このようなことはいたしません。誓います。聖書にかけても誓います。どうぞ、裁判所に引き立てられるようなことには、しないでください！　お願いです！　どうぞ、神かけてお願いします」

「椅子に戻りなさい」と、ホームズは厳しく言った。「今頃になって、頭を下げて罪を後悔するのもかまわないが、身におぼえのない罪で被告にされている、気のどくなホーナーのことを、考えたことはないのか」

「ホームズさん、わたしは高飛びします。この国を出ます。そうすれば、彼に対する疑いは晴れるでしょう」

「そうか！　まあ、その話はあとにして、事件の真相を話してもらおう。この宝石が、なぜガチョウの腹に収まっていたかだ。また、なぜ、そのガチョウが市場に出たのか？すべて真実を話すことが、君の救われる道なのだ」

　ライダーは、乾いた唇をなめた。「全部、ありのままにお話しします。ホーナーが逮捕された時、こうなったら、いつ警察がわたしの身体や部屋を取り調べようと思うかわからないので、一刻も早く宝石をかたづけてしまったほうがいいと思ったのです。といっても、ホテルには安全な隠し場所はありません。それで、用事があるように見せかけて外出し、姉のところへ行きました。姉は、オークショットという男と結婚していて、ブリクストン通りに住んでいます。そこで、市場に出す鳥を飼っているのです。そこへ着くまでは、通りすがりの男がみな巡査や刑事に見えて、寒い晩でしたが、ブリクストン通りに着いた時には、顔じゅう汗びっしょりでした。どうしたのよ、真っ青な顔をしてと、姉がたずねましたが、ホテルで宝石泥棒騒ぎがあったので、びっくりしたのだと答えました。それから裏庭へ出て、これからどうすれば一番いいのかと、パイプで一服しながら考えていました。

わたしには、前からモーズリという友だちがいました。彼は悪の道に入っていて、つい最近まで、ペントンヴィル刑務所に入れられていました。いつだったか、わたしと会った時、彼は泥棒の手口やら、盗品の処分の方法を話したことがありました。彼の弱みを一つ二つ握っているので、彼が裏切るような心配はないと思いました。それで、すぐに彼の住んでいるキルバーンまで行き、秘密を打ち明けようと決心しました。あの男ならきっと、この宝石を金に換える方法も教えてくれるだろうと思ったのです。しかし、どうやったら、彼のところまで無事にたどり着けるだろう？　ホテルからここまででもあんなに恐ろしかったのに。いつ、捕まって身体を調べられ、チョッキのポケットに隠している宝石が発見されてしまうかもしれない。わたしは壁によりかかり、わたしの足の周りを歩いているガチョウを見ていました。そのとき突然、どんな名探偵をもごまかせそうな名案が、頭に浮かんだのです。

何週間も前から、姉はクリスマス・プレゼントとして、よりぬきの上等のガチョウをわたしにくれると言っていました。姉は必ず約束を守る人ですから、今、そのガチョウをもらい、ガチョウに宝石を飲み込ませて、キルバーンまで運ぼうと考えたのです。わたしは、裏庭の小さな物置小屋のうしろへ一羽のガチョウを追い込みました。――尾に黒い筋がついている、白くて大きな、すばらしい鳥でした。それをつかまえて、くちばしをこじあけて、指をできるだけ喉の奥深くまで入れると、宝石を押し込んだのです。ガチョウが飲み込んだあとで触っていると、宝石が食道を通り、餌袋に落ちるのがわかりました。しかし、その鳥が羽をばたばたやりだしたので、姉が何事かと出てきました。それで、姉に話しかけようと振り返ったとたん、ガチョウは手を抜け出すと、仲間のほうへ逃げていってしまったのです。

『ジェム、あのガチョウに、何をしたの？』姉は聞きました。

『そう』と、わたしは答えました。『姉さんが、クリスマスに一羽くれるって言ってただろう。だから、どれが一番よく肥えているか、調べていたのさ』

『あら、あんたの分は、ちゃんと別によけてあるんだよ――ジェムの鳥って、みんなが呼んでいるさ。ほら、あそこにいる、大きな白いやつだよ。全部で二十六羽いるから、あんたの分が一羽、うちのが一羽で、残りの二ダースは売りに出すのさ』

『ありがとう、マギー。でも、どれでも同じことなら、ぼくが今つかまえていたやつがいいけどな』

『でも、あっちのは、たっぷり三ポンドは重いよ』と、彼女は言いました。『あんたの分と思って、特別に太らせたんだから』

『いや、いいんだ。ぼくはさっきのやつにしたいな。いまもらっていってもいいだろう?』わたしは言ったのです。

『そうかい。そんなら、好きにおしよ』姉は、少し不機嫌に言いました。『それじゃ、あんたが欲しいのは、どれだい?』

『あの、ちょうど真ん中にいる、尾に黒い筋の入った、白いのだよ』

『ああ、わかった。それじゃあ、殺して、持っておいきよ』

そこで、ホームズさん、わたしは姉が言ったとおりにガチョウを殺して、それをキルバーンまで運びました。そして、モーズリにこのことを話しました。あの男には、こういう話は気安くできるのですよ。彼は息がつまるほど大笑いしました。そして、ナイフを手にして、ガチョウの腹を開いたのですが、もう、わたしはびっくりしてしまいました。宝石の影は、ひとかけらも見当たらないではありませんか。なにか、とんでもない間違いをしでかしてしまったとわかると、わたしはガチョウをそのまま放り出し、もう一度大急ぎで姉の家に戻り、裏庭に駆け込みました。しかし、そこにはもうガチョウは一羽もいなかったのです。

『マギー、鳥はみんな、どこへやったんだい？』と、わたしは叫びました。

『問屋に売っちまったよ、ジェム』

『どこの問屋へ？』

『コヴェント・ガーデンの、ブレッキンリッジの店だよ』

『尾に黒い筋のあるやつが、もう一羽、その中にいたかい？』と、わたしはたずねました。『ぼくがもらっていったのと、同じようなやつさ？』

『そう、いたね、ジェム。尾に黒い筋のあるのが二羽いてね、わたしも見分けがつかなかったよ』

さあ、これで、すべてわかりました。わたしは思いっきり走り、ブレッキンリッジという男のところへ駆けて行ったのですが、ガチョウは全部ひとまとめにしてすぐに売ってしまったあとで、売った先については、ひとことも教えてくれないのです。あなたも今晩、聞かれたでしょう。何度聞いても、返事はあの調子です。姉は、わたしの気が変になりかけているのではないかと、心配しています。まったく、わたしもそんな気がします。そして今――、今はもう、わたしは泥棒の烙印(らくいん)を押されてしまいました。自分のたましいを売って、つかもうと思った富には、まだ指一本触れていないのに！　ああ、神さま、どうかお助けください！」ライダーは、突然、両手で顔をおおうと、発作的に泣きだした。

長い沈黙が続いた。聞こえるのは、ライダーの吐く荒い息と、シャーロック・ホームズの指先が、テーブルの縁を叩く音だけだった。やがて、ホームズは立ち上がり、ドアをさっと開いた。

「出て行きなさい！」と、彼は言った。

「は、はい！　ああ、ありがとうございます！」

「何も言わないでいい。出て行くがいい！」

そして、それ以上、何も言う必要はなかった。階段を駆け降りる音、玄関のドアがばたんと閉まる音がして、一目散に走り去っていく足音が、通りから聞こえた。

「とにかく、ねえ、ワトスン」ホームズは、陶製（クレイ）のパイプに手を伸ばして言った。「ぼくは警察の失敗の穴埋めをするために雇われているわけではないからね。ホーナーが有罪になるおそれがあるというなら、話は別だ。しかし、あの男は、ホーナーに不利になるような証言はしないだろうから、事件は不起訴になるに違いない。まあ、ぼくは重罪を犯したようなものだが、一人の人間のたましいを救うことになるだろうからね。ライダーは、悪事を二度とはたらかないだろう。ひどく怯（おび）えて、震え上がっていた。しかし、彼を刑務所に送れば、常習犯になってしまうだろうからね。それに、今はクリスマスで、ゆるしの季節だ。ぼくたちは偶然のことで、きわめて珍しい、奇妙な事件に出会ったけれど、それを見事に解決できたということが、報酬なのさ。先生、すまないけれど、ちょっと呼びりんを鳴らしてくれないか。次のもう一つの仕事に取りかかるとしようではないか。もっとも、ヤマシギ料理だから、次の主役もまた鳥だけれどね」

警官と讃美歌

O・ヘンリー
大久保康雄訳

O・ヘンリー
一八六二―一九一〇。アメリカ生まれの作家。テキサスで薬剤師、銀行員、新聞記者などの職を経験するが、横領の疑いで収容される。服役後、本格的に作家活動を始め、ニューヨークに移り住み亡くなるまでの約八年間で、数多くの作品を発表する。アメリカ文学史上で屈指の短篇の名手と言われる。

大久保康雄（おおくぼ・やすお）
一九〇五―一九八七。マーガレット・ミッチェル『風と共に去りぬ』を始め、現代アメリカ文学を中心に翻訳多数。

O. Henry: The Cop and the Anthem,1904

マジソン・スクエアのいつものベンチで、ソーピーは、もぞもぞと身体を動かしていた。雁が夜かん高い声で鳴き、あざらしの毛皮のオーバーをもたぬ女たちが亭主にやさしくなり、そしてソーピーが公園のベンチでもぞもぞ身体を動かすと、もう冬も間近いことがわかるだろう。

一枚の枯葉がソーピーの膝におちてきた。それはジャック・フロスト氏（霜の意）の名刺である。ジャックはマジソン・スクエアの常連たちに親切で、毎年ここを訪れるときには、ちゃんと予告してくれるのである。四つ辻の角のところで、彼は「青空荘」の玄関番である北風氏に名刺をわたす。おかげで屋敷の住民たちも冬支度ができるのである。

いよいよ迫りくる冬にそなえて、おれも、越冬対策委員会の、一人きりの委員になる決心をしなければならぬ、とソーピーは、はっきりとさとった。だから彼は、いつものベンチで落ちついていられなくなったのだ。

越冬策としてソーピーが抱いた願望は、そんなにぜいたくなものではなかった。地中海の船旅をしたいとか、眠くなるような南の空の下ですごしたいとか、ヴェスヴィアス湾で舟遊びをしたいとか、そんなことはすこしも考えていなかった。島（ニューヨークのイースト・リバーにある小島、以前、刑務所があった。したがってここでは刑務所の意）での三カ月、これが彼の念願なのだ。颪の神（ポオリアス）や警官を心配せずに、食事とベッドと気の合った仲間が保証されている三カ月が、ソーピーにとっては、望ましい最高のものなのだ。

ここ何年か、もてなしのいいブラックウェルズ島が彼の冬ごもりの住居だった。冬がくるたびに、彼よりも幸運にめぐまれたニューヨークの市民たちが、パーム・ビーチやリヴィエラへ行く切符を買うように、ソーピーは例によって島へしけこむために、ささやかな準備をするのがつねだった。今年も、ついにそのときがきたのだ。昨夜は上着の下と、足首のまわりと、膝の上に、日曜版の新聞を三部ひろげて寝たが、そんなことでは、古い公園の噴水のほとりのベンチの上で寒さを撃退できるものではなかった。折柄、「島」が、ぼうっと、ソーピーの心の中にうかびあがってきたのである。彼はこの町の食客たちのために、慈善の名において設けられた施設を軽蔑していた。ソーピーの意見によれば、法律のほうが、博愛よりも、ずっと親切だった。市営や慈善団体の施設は、数かぎりなくあった。望むなら、その世話で、簡易生活にふさわしい宿泊所や食物を受けることもできた。だが、ソーピーのような自尊心の強いものには、慈善の贈りものは、気にくわなかった。よしんばゼニは払わなくても、慈善事業の恩恵にあずかれば、そのたびに精神的屈辱という代価を支払わなければならない。シーザーにブルータスがついていたように、慈善のベッドには入浴という課税がつきものだし、一片のパンにありつくためには私事にまで立入る個人的な身元調査という代償を支払わなければならない。規則によって動かされているにしても、法律は紳士の私事にまで不当な干渉をしないから、むしろ法律の厄介になったほうがましなのだ。

島へ行く肚をきめると、ソーピーは早速その願望の達成にとりかかった。そうするためには、簡単な方法がたくさんあった。一番愉快な方法は、どこかぜいたくなレストランで、豪勢な食事をすることだった。それからおもむろに一文なしだと見得を切って、そのままじたばたせずに従順に警官の手に引きわたされることだ。あとは親切な判事が万事とりはからってくれる。

ソーピーはベンチをあとにして、ぶらぶら公園から出て行き、ブロードウェイ通りと五番街とが合流するあたりのアスファルトの平らな海を渡って行った。ブロードウェイ通りを北へ向い、まばゆいばかりの料理店の前で立ちどまった。ここは夜ごと、とびきり上等の葡萄酒と絹の衣裳と洗練された人間たちが集まってくるところなのである。

ソーピーは、チョッキの一番下のボタンから上には自信があった。髭も剃ってあるし、上着も見苦しくないし、小ぎれいな黒い結びつけのネクタイは感謝祭の日に婦人伝道師から贈られたものであった。このレストランのテーブルへ怪しまれずにつくことができれば、成功は彼のものである。テーブルから上に出ている部分なら、給仕の心に疑惑を起すようなことはないだろう。真鴨の丸焼くらいが、まず適当なところだろう、とソーピーは思った。それに白葡萄酒が一壜とカマンベールチーズ、食後のコーヒー一杯と葉巻が一本――。葉巻の代は一ドルとみれば十分だろう。全部合わせても、料理店の帳場から、ひどい仕返しをされるほどの金高にはなるまい。しかも、これだけの食事は、彼を満腹させ、幸福な気分で冬の避難所へ旅立たせてくれるだろう。

ところがレストランのドアの中へ一歩足を踏み入れたとたんに、給仕長の目が、すり切れたズボンと、はきふるした靴の上に落ちた。たくましい敏捷な手が、待ってましたとばかり彼の向きを変え、ものも言わずに、たちまち彼を歩道へ送りかえし、すんでのことに食い逃げされるところだった真鴨の不名誉な運命を救ったのである。

ソーピーはブロードウェイ通りから横へそれた。待望の島へ行ける道は、食道楽(エピキューリアン)の道ではなかったようである。刑務所にはいれる何か別の方法を見つけ出さなければならない。

六番街の角に、電燈と板ガラスの奥に手際よく陳列された商品によって、ショーウィンドーが一際目立って見える店があった。ソーピーは石をひとつ拾いあげると、その窓ガラスに叩きこんだ。警官を先頭に大勢のものが町角を曲って駆けつけてきた。ソーピーは両手をポケットにつっこんだまま、じっとしていた。そして、警官の真鍮のボタンを見ると、にやりとした。

「こんなことをした奴は、どこにいるんだ？」警官は興奮してたずねた。

「あっしがこれに関係があるかもしれねえとは思わねえかね？」皮肉まじりに、しかも幸運を迎える人のように、親しみをこめて、ソーピーは言った。

警官の心は、ソーピーの言葉を、一つの手がかりとしてすら受けつけなかった。窓を叩き割るような男が、法律の代理人と話しあうためにその場に残っているはずがない。そういう奴は、一目散に逃げだすものだ。警官は、電車に乗ろうとして半ブロックほどさきを走って行く一人の男に目をとめた。警棒をひきぬいて彼はその男を追いかけた。ソーピーは、またしてもしくじったので、無念やるかたなく、ゆっくりと歩きだした。

通りの向う側に、たいして見栄えのしないレストランが一軒あった。それは、食欲はすごいが、ふところはさびしい人間には、おあつらえ向きの店だった。食器類と雰囲気は厚ぼったいが、スープとテーブルクロスは薄かった。この店の中へ、ソーピーは咎められもせずに、気のひける靴と、かくしようもないズボン姿で入って行った。テーブルについて、ビフテキと大きなホットケーキとドーナッツとパイを平らげた。それから給仕に、自分はビタ一文も金には縁のない人間だという事実をうちあけた。

「さあ、さっさとお巡りを呼んでこい」とソーピーは言った。「紳士を待たせるもんじゃねえぜ」

「おめえみてえな奴にゃお巡りの必要はねえさ」給仕は、バター・ケーキみたいにねばっこい声で、マンハッタン・カクテルの中のサクランボみたいな目をして言った。「おい、コン、手をかしてくれ」

無情な舗道の上へ、きちんと左の耳を下にして、二人の給仕に放り出された。彼は、まるで大工の折尺をひらくように、関節を一つ一つ伸ばしながら立ちあがり、服のほこりをはたいた。拘留は、バラ色の夢にすぎないように思えた。島は、まだはるか彼方のようであった。二軒さきのドラッグストアの前に立っていた警官は、笑って通りを歩き去った。

通りを五ブロックほど行ってから、やっとまた逮捕を求める勇気がわいてきた。こんどは、あさはかにも彼が「なんの造作もないこと」と自分勝手にきめこんでいたことが運よく降ってわいたのである。つつましやかな、小ざっぱりした身なりの若い女が、ショーウィンドーの前に立って、髭そり用のコップやインクスタンドなどの陳列品に、目を輝かして見入っていた。そして、その窓から二ヤードはなれたところに、いかめしい物腰の大男の警官が、消火栓にもたれていた。

卑劣な、いやらしい「女たらし」の役を演じるのが彼の計画であった。上品で優雅な犠牲者の姿と実直そうな警官とを目の前にして、彼は、これでもうすぐ、あの小ぢんまりとした狭い島での一冬の宿を保証してくれる気持のよい警官の手が自分の腕をつかむのを感じることができるのだ、という確信に駆り立てられた。

ソーピーは、婦人伝道師からもらった結びつけのネクタイを直し、しりごみしたがるカフスを袖口へ引っぱりだし、帽子も粋に横っちょにかぶって、若い女のほうへ、にじり寄って行った。色目を使いながら、とつぜん咳払いをしたり、エヘンと言ったり、ほほえんでみせたり、にやりとしたりして、「女たらし」の用いるずうずうしい卑劣な常套手段を臆面もなくやってのけた。警官が、じっとこちらを見ているのが横目で知れた。若い女は二、三歩はなれると、またしても、髭そり用のコップを熱心に見つめた。ソーピーはそれを追って大胆に彼女のそばに歩みより、帽子をあげて言った。

「やあ、ベデリヤ！　うちへ遊びにこないか」

警官は、まだ見ていた。つきまとわれているこの若い女が、指でちょっと合図をしさえすれば、ソーピーは事実上、島の避難所への道をたどることになるのだ。早くも警察署の気持のいい暖かさが感じられるような気がしてきた。若い女は彼のほうを向き、片手をさしのべて、ソーピーの上着の袖をつかんだ。

「行くわ、マイク」彼女は、うれしそうに言った。「ビールを一杯おごってくれるんなら。あたしのほうからさきに声をかけたかったのだけれど、ポリ公が見てたもんだから」

樫の木にからみついた蔦のような格好の若い女をつれて、ソーピーは、すっかり憂鬱になって警官のそばを通りすぎた。どうしても逮捕されない運命のようであった。

つぎの曲り角へくると、彼は相手の女をふりはなして駆け出した。夜ともなれば、最も明るい街と、最もうきうきした気分と、最もお手軽な愛の誓いと、最も陽気な唄とが出現するあたりまでくると、彼は足をとめた。毛皮にくるまった女たちやオーバーを着こんだ男たちが、冬の大気の中を潑剌と行きかっていた。自分は何かおそろしい魔術にかかって逮捕免疫症になってしまったのではあるまいかという不安が不意にソーピーをおそった。そう思うと、ちょっとうろたえ気味になった。一人の警官が、すばらしく立派な劇場の前を、もったいぶった格好で行ったりきたりしているのにぶつかると、彼は「治安妨害」という目の前の藁にすがりつこうとした。

歩道で、どら声を張りあげ、酔払いのたわごとをわめきはじめた。踊ったり、どなったり、あばれたり、その他の方法で、あたりを騒がした。

警官は警棒をくるくるまわしながら、ソーピーには背中を向けて、一人の市民に言った。

「エール大学の学生ですよ。ハートフォード大学を零敗させたというので、お祝いさわぎをやっているんです。騒々しいが別に害はありませんよ。放っておけという命令をうけているんです」

みじめな気持でソーピーは無益な騒ぎを中止した。どうしても警官はおれを逮捕してくれないのだろうか？　島は、とうてい行きつくことのできない理想境のような気がしてきた。冷たい風に吹かれて彼は薄い上着のボタンをかけた。

煙草屋の店さきで、身なりのいい男が、ぶらさがっている点火器で葉巻に火をつけているのが、彼の目にとまった。入口の扉のところに、その男の絹の傘が立てかけてあった。ソーピーは店の中へはいり、その傘をつかんで、ゆっくりと出てきた。葉巻に火をつけていた男が、あわてて追いかけてきた。

「おい、それはぼくの傘だぞ」と、彼は荒々しく言った。

「へえ、そうかね」コソ泥を働いた上に侮辱まで加えてソーピーはあざ笑った。「そんなら、どうして警官を呼ばねえのかね？　おれが盗んだんだよ。おまえさんの傘をね。なぜ、ポリ公を呼ばねえのかね？　あの角に一人立ってるじゃないか」

傘の持主は足をゆるめた。ソーピーも、そうした。運が、またしても逃げ出してしまいそうな予感を感じた。警官は二人をふしぎそうに見ていた。

「いうまでもないことだが」と傘の持主が言った。「つまり……そのう……こういうまちがいは、よくあるもんでして……私は……もしそれがあなたの傘だとしたら、かんべんしていただきたいもんで……実は今朝ほど、あるレストランで拾いましたんで……もしあなたの傘だとしたら、そのう……どうかお許しを……」

「もちろん、おれのだよ」ソーピーは意地わるく言った。

傘の前の持主は退散した。警官は、夜会用の外套をまとった背の高い金髪の婦人のところへ走りより、二ブロックほど前方から近づいてくる電車の前で道路を横ぎるのを助けてやった。

ソーピーは道路工事で掘り返された通りを東へ歩いて行った。腹立ちまぎれに傘を工事中の穴のなかへ投げこんだ。ヘルメットをかぶり警棒をもった男たちの悪口を、ぶつぶつつぶやいた。こちらはつかまえてもらいたがっているのに、どうやら先方は彼のことを何をやっても罪にならない王様か何ぞのように考えているらしい。

ついにソーピーは、街の明りも騒音もほとんどない東よりの大通りの一つにさしかかった。そこからマジソン・スクエアのほうへ顔を向けた。帰巣本能は、たとえその家が公園のベンチであろうとも、いまなお消えなかったのである。

けれども、妙にひっそりとした街角で、ソーピーは、はたと立ちどまった。そこに一風変った、不規則なつくりの、破風のある古めかしい教会が建っていた。すみれ色のステインド・グラスの窓ごしに、やわらかい燈火が輝いていた。たぶん、オルガン弾きが、つぎの日曜日の讃美歌をちゃんと弾けるかどうか確かめるために、キイをなでまわしているのであろう。美しい楽の音がソーピーの耳に流れてきて、彼の心をとらえ、渦巻き模様の鉄柵のところに釘づけにしてしまった。

月は中天にかかって明るく輝き、車も歩行者も、ほとんどなかった。雀が軒さきで眠そうにさえずっていた——しばらくのあいだ、あたりは教会のある田舎の風景を思わせた。オルガンの奏でる讃美歌はソーピーを鉄柵にぴたりと糊づけしてしまった。彼の生活のなかに、母、薔薇、野心、友人、汚れのない思考、純白のカラーといったようなものがまだあった時分、よく聞いて知っていた讃美歌だったのだ。

感じやすくなっていた彼の気持と古い教会の感化力とが結びついて、突然、おどろくべき変化をソーピーの魂にもたらした。自分が落ちこんだ深い穴、自分の存在を形づくっている堕落した日々、下劣な欲望、死のごとくむなしい希望、だめになった才能、卑しい動機などを、おそるおそる、すばやくふりかえって眺めた。

すると、たちまち彼の心は、この新しい気分に感応してふるえた。強い衝動が、たちどころに彼を絶望的な運命と戦わせた。自分を泥沼から引き出そう。もういちど、まともな人間になろう。自分にとりついている悪にうち勝とう。まだ遅くはない。おれはまだ比較的若いのだ。昔の真剣な野心をもう一度よみがえらせ、よろめいたりせずに、それを追い求めよう。あの厳粛な美しいオルガンの調べが、彼の心に革命を起したのであった。明日は騒々しい下町へ出かけて仕事を見つけよう。以前、ある毛皮輸入商が運転手になったらどうかとすすめてくれたことがあった。あす、その人に会って仕事のことを頼んでみよう。おれも、ちゃんとした一人前の人間になろう。おれだって——

ふと誰かの手が自分の腕をつかんだのを感じた。ふり向くと、まぎれもない警官の顔があった。
「こんなところで何をしてるんだ?」と警官はきいた。
「なんにも」とソーピーは答えた。
「ともかく一緒にこい」と警官は言った。
「禁固三カ月」翌朝、軽犯罪裁判所で治安判事が言い渡した。

飛ぶ星

G・K・チェスタートン

二宮磬訳

G・K・チェスタートン

一八七四―一九三六。イギリス生まれ。作家、評論家。逆説と諧謔の大家として知られ、「ブラウン神父」シリーズに代表される短篇推理小説は、コナン・ドイルの作品と並んで後世の作家たちに計り知れない影響を与えた。

二宮馨（にのみや・けい）

一九四五年生。訳書にスコット・トゥロー『無罪』など。

G. K. Chesterton: The Flying Stars, 1911

「おれがやらかしたもっとも美しい犯罪は、不思議なめぐりあわせのせいで、おれの最後の犯罪ともなったんだ」盗賊のフランボーはすっかり悔いあらためた後年、よくそう口にした。「あれはクリスマスのことだった。おれはそれまでもつねづね、一個の芸術家として、手がける犯罪は舞台となる季節なり景観なりにふさわしいものとするべく心がけていたから、一群の彫刻を置く背景を選ぶように、大事件によく似合うテラスや庭園を選んだものだった。だから、田舎の大地主から金を巻きあげるなら、オークの鏡板を貼った、奥に長い部屋でやらなきゃならん、一方、ユダヤ人をだしぬいて素寒貧にしてやるのは、明るく照らされ、衝立を置いたカフェ・リシュでないとぐあいが悪いというわけだ。だから舞台がイギリスで、首席司教の富を奪い取るとなったら（これはふつう考えるほど簡単じゃないがね）、どこか大聖堂のある町の緑の芝生と灰色の塔という風景のなかに、いわば額縁におさめるように相手を入れたいものだと思った。それとおなじで、フランスで性悪な金持ちの農民（というのはめったにいないが）から金を奪ったときは、当人の憤怒の形相が、刈りこんだポプラの灰色をした並木と、ミレーの力強い魂にすっぽりと覆われているような、ゴールのあの平原を背景にくっきり浮きあがるようにすることで満足を味わうことができた。

「いずれにしても、おれが手がけた最後の犯罪はクリスマスの犯罪、イギリス中流階級の、陽気で、心地よい雰囲気の犯罪、いわばチャールズ・ディケンズ風の犯罪だった。おれはパトニー近くに古くからある中流階級のさる一家を選んだ。三日月形の車寄せがあって、建物わきには馬小屋が、表には標札を出した門が二つ、そして一本のモンキーツリーがある、そんな家だ。これでどういうたぐいの家か、想像はできるだろう。ディケンズのスタイルのこの模倣は、まさに巧妙にして文学的であったと自負しているよ。その夜に悔いあらためたのが残念とさえ思えるくらいさ」

　フランボーはそれを前置きにして、内側から見たこの物語へと話を進めるのだった。が、内側からでさえ、これは奇妙な事件であった。外側から見ればまったく不可解なのだが、部外者は外側からこれを見ていくしかない。その観点からすると、このドラマは、〝クリスマスの贈り物の日（ボクシング・デイ）〟にあたるこの日の午後、馬小屋のあるこの家の玄関ドアがモンキーツリーのある庭に向かって開き、若い娘が小鳥にパンをやろうと出てきたときに幕をあけたといっていいかもしれない。くりくりした茶色の目の、愛らしい顔だちの娘だった。だが、その体つきは想像のしようもなかった。茶色の毛皮に上から下までそっくり包まれていて、どこまでが髪で、どこからが毛皮なのか、はっきりわからないくらいなのだ。ただ、それだけの魅力的な顔だちなら、たとえ熊でも、よちよち歩くかわいい小熊と認められたであろうが。

そろそろ暮れようとする冬の午後とあって、日差しが赤みを増しつつあり、花の姿のない花壇は押し寄せたルビー色の光にすでに呑みこまれて、いわば死んだ薔薇の幽霊でいっぱいになっていた。建物の一方の端は馬小屋だが、反対側は月桂樹の回廊ともいうべき小径になっていて、裏にあるもっと大きな庭へ通じていた。小鳥に与えるパンをまきおえた娘は（これがこの日四度めか五度めだった、犬が食べてしまうのだ）月桂樹の小径をしとやかな足どりで進み、冬も青いままの木々や草がきらきらと輝いている裏庭へはいっていった。そしてそこで、本物か儀礼的なものかはともかく、驚愕の叫び声を発して、高い塀の上方を、異様にもそんなところにまたがっている、どことなく異様な人影を見あげた。

「まあ、飛びおりちゃだめですよ、クルックさん」彼女はちょっと心配げに声をかけた。「そんな高いところから」

空を翔ける馬にでも乗ったように隣家との境の塀にまたがっているのは、黒い髪の毛がヘアブラシのように突き立った、痩せて背の高い若者で、知的で、人目をひくほどの整った目鼻立ちをしているが、顔色がいやに黄ばんでいて、まるで異国人のようだった。どぎつい赤のネクタイをしているのでよけいその印象がきわだつのだが、どうやら彼が身なりで気をつかうのは唯一それだけらしい。たぶんあるシンボルの意味を持つものなのだ。彼は娘の心配げな声には耳をかさず、脚を折っても不思議はないほどの高みからバッタのように飛びおりて彼女の横に立った。

「ほんとうならぼくは泥棒になってたところだと思うね」彼は落ち着きはらって言った。「この隣りの素敵な家に生れていなかったら、そうなったことはまず確かだろうよ。べつに悪いことでもなし」

「どうしてそんなことを言うの」と、娘はいさめた。

「そうだろ、もし生れる側をまちがえたのなら、境界の塀を乗り越えるのはまちがった行為だとは思わないな」

「あなたという人は、次になにを言いだすか、なにを始めるか、ちっともわからないんだから」

「自分でもわからないことがしょっちゅうさ。でも、いまのぼくは塀の正しい側にいるんだがね」

「正しい側ってどっちかしら?」と、娘はほほえみながら訊いた。

「どっちであろうときみがいるほうの側だよ」クルックはそう答えた。

二人が月桂樹の小径を抜けて表の庭へ向かっていると、車の警笛が三度鳴った。その音は鳴るごとに近くで聞こえ、やがて淡い緑色のきわめて優美な車が猛スピードで飛ばしてきたかと思うと、小鳥のように玄関前にすーっと近づき、身震いしながら停まった。

「これはこれは！」赤いネクタイの若い男は言った。「やってきたのは正しい側に生れたお方らしいな、どう見ても。ついぞ知らなかったよ、ミス・アダムズ、きみのサンタクロースがあれほどモダンな人だったとは」

「あら、あの人はわたしの名づけ親のレオポルド・フィッシャー卿よ。毎年、贈り物の日には来てくださるの」

　ルビー・アダムズはそこでなにげなく口をつぐみ、内心はさほど喜んでいないことを無意識のうちにさらけだしたあと、こうつけ加えた。「とても親切な人なの」

　新聞記者のジョン・クルックは、ロンドンのシティで名を知られたこの大立者のことは噂（うわさ）で聞き知っていた。一方、シティの大立者のほうが彼のことを知らなかったとしても、それは当人の非ではない。「クラリオン」や「ニュー・エイジ」といった新聞で、レオポルド卿は手ひどい扱いを受けたことがあるのだ。だがクルックはなにも口にせず、車の〝荷物〟をおろす、けっして迅速とは言えない作業をむっつりと見まもっていた。車の前部からは緑色の制服姿のきりっとした大柄な運転手が、後部からは灰色の制服姿のきりっとした小柄な従者が降り立った。二人は玄関前の階段にレオポルド卿を据えて両わきに立つと、まるで入念に梱包（こんぽう）した小包みを解くように、卿の体を包んでいるものを剝（は）ぎ取りにかかった。バザーに出せそうなほどの膝掛けが、森のすべての獣（けもの）から集めたと思しきいろんな毛皮が、虹の色がぜんぶふくまれていそうな襟巻のたぐいが、一つ一つ剥ぎ取られていき、やっと人間の体らしきものが現われた。気さくげではあるが、灰色がかった山羊ひげの外国人めいた風貌の老紳士が、にこやかに笑いながら、大きな革手袋をはめた手をこすりあわせている。

　卿の本体がすっかり現われるよりだいぶ以前に、ポーチの大きな扉が両側に開いて、アダムズ大佐（茶色の毛皮をまとった娘の父親である）が高名な訪問客を出迎えに姿を見せていた。背が高く、よく日に焼けた男で、きわめて無口な人柄だった。トルコ帽に似た、喫煙時にかぶる赤いスモーキングキャップを頭に載せているので、エジプト軍の司令官のようにも、彼の地に駐屯中のイギリス軍司令官のようにも見えた。その横に立っているのは最近カナダからやってきた彼の義弟で、向こうでは農場を経営している。黄色い顎ひげをはやした、このかなりがさつな若い男はジェイムズ・ブラントといった。そのかたわらにはもう一人、もっと冴えないようすの男が立っているが、これは近くのローマ・カトリック教会の司祭である。大佐の亡くなった妻はカトリックの信者で、そうした場合の例に洩れず、子供たちは母親の信仰を受け継ぐようしつけをされて育った。この司祭ときたらどこを取りあげても平々凡々、名前も変哲もないブラウンときているが、大佐は昔からこの男になにか気がおけないものを感じて、こうしたごく内輪の集まりにもしばしば彼を招いていた。

この家の玄関ホールは広々としていて、レオポルド卿と彼の体から取り去ったものを収容してもたっぷりと余裕があった。たしかにここのポーチと玄関ホールは家の造りに比して異常に大きく、いわば、玄関扉を一方の端に、階段の登り口を他端とする大きな一室となっていた。上方に大佐の剣が架けられた暖炉の前でレオポルド卿の外皮を取る作業は完了し、むっつり顔のクルックをふくむ一同が卿に引きあわされた。だが、この高名な財政家は立派な裏地のついた服のあちこちをもぞもぞと探るような仕種をつづけており、そのうちやっと、燕尾(えんび)服のずっと奥のほうにあるポケットから楕円形をしたケースを取り出し、これが名づけ娘へのクリスマスの贈り物なのだ、と喜色満面で説明した。そして、つい赦してしまいそうな無邪気な自慢顔で、それを彼らの前に掲げてみせた。そっとさわっただけで小箱はパタンと開き、その瞬間、一同はなかば目がくらんだようになった。あたかも水晶の噴水が目に飛びこんできたかのようだった。オレンジ色のビロードの上に、巣のなかの三つの卵のように、燦然(さんぜん)と白い光をはなつ三つのダイヤモンドが並んでいて、その輝きであたりの空気にいまにも火がつくかとさえ思えた。レオポルド卿はゆったりとした笑みを浮かべて、娘の驚きと恍惚(こうこつ)の表情や、大佐がにこりともせず述べるぶっきらぼうな感謝の言葉や、ほかの面々が発する賛嘆の声を思うさま楽しんでいた。

「さて、それではまたしまっておこうか」卿はそう言って小箱を服のポケットにもどした。「ここへ来るあいだも用心が必要だったのだよ。これはアフリカ産の素晴らしいダイヤモンドで、〝飛ぶ星〟と名がついている。というのは、頻繁に盗難にあうからでね。大物の盗賊は一人残らずこれを狙っておる。そればかりか、街やホテルに巣くう悪党どもも黙って見てはおれまい。ここへの途中でこれを失うことになっていても不思議はなかったんだ。大いにありうることだよ」

「当然のこと、そう言っていいでしょうな」と、赤いネクタイのクルックが嚙みつくように言った。「連中がそれを盗んでも、責めるわけにはいかないと思うな。向こうがパンをほしいと求めても、あんたは石ころ一つ与えようとしない。だったら連中がかってに宝石を奪ってもかまわないと思うね」

「あなたのそういう物の言い方っていやだわ」娘が大きな声で言った。目を引くほど顔が赤い。「あのなんとかっていう忌まわしいものになってからというもの、そんな口のきき方しかしないんだから。言ってることわかるでしょ。煙突掃除人と親しく抱きあいたがる人のことよ、そういう人をなんと言ったかしら？」

「聖者ですな」と、ブラウン神父が言った。

「どうもルビーの言ってるのは」と、レオポルド卿が高慢そうな笑いを浮かべて言った。「社会主義者のことらしいな」

「急進主義者というのはラディッシュを毎日食べてる人間のことではなし」クルックが

ちょっと苛立ちを表わして言った。「保守主義者というのはジャムを保存する人間のことではない。同様に、社会主義者というのは、煙突掃除人と社交の一夜を持ちたいと考える人間のことではないんだ。社会主義者とは、すべての煙突が等しく掃除され、すべての煙突掃除人がその仕事に見合った賃金を手にすることを願う人間のことさ」

「しかし、人々が自分の煤を所有することを許さない人間でもある」と、神父が小さな声で言った。

クルックは神父を見た。その目には興味の色ばかりか、尊敬の念を示す表情さえある。

「煤などを自分のものにしたがる人間がいると?」

「いるかもしれませんな」ブラウン神父は考えをめぐらす顔で答えた。「庭師が使うという話は聞いたことがあります。わたし自身、以前のクリスマスのこと、手品師がやってこなかったもので、もっぱら煤を用いて六人の子供を喜ばせたことがあります――外見を変えるのに用いましてね」

「まあ、おもしろい」ルビーが大きな声を出した。「ここでもやっていただきたいわ」

騒々しいカナダ人のブラントがおもしろがって大声をあげ、レオポルド卿が（こちらはそんなことはとんでもないと）やはり大きな声を発したとき、玄関の両開き戸を叩く音がした。神父が扉をあけ、モンキーツリーをはじめ、さまざまの常緑樹の茂る前庭が一同の前にふたたび現われた。もう暮色が深まり、西の空は鮮やかな紫色に染まっている。ちょうど枠に切り取ったようなその風景は、さながら舞台の書き割りで、誰もが絶妙な色彩の一風変わった眺めに目を奪われて、玄関前に立っているどうということのない人物にはしばらく気づかなかった。ただの使い走りの者らしく、埃だらけの顔をし、すり切れた上着を着ていた。「こちらにブラントさんはおいでで？」男はそう言いながら、ためらいがちに一通の手紙を差し出した。ブラントが進み出て、わたしだよ、となった。彼は驚きの表情を隠そうともせず封筒を破ってあけ、中身を読んでいった。ちょっと顔が曇ったが、じきにまた晴れ、彼は義兄であるこの家の主人に向きなおった。「こんな厄介なことを言いだすのは気がひけるんですがね、大佐」彼は植民地の人間らしい快活な調子で話しかけた。「昔からの友人が、なにか用があって今夜ここへ訪ねてきたいと言ってるんだがかまわんだろうか？　打ち明けると、その男は曲芸師、喜劇役者として有名なフランス人、あのフローリアンなんですよ。何年もまえに向こうで知り合いましてね。彼はもともとはフランス系カナダ人なんです。その彼がなにかわたしに用があるらしい、もっとも、どんな用なのか見当はつかないんだが」

「いやいや、かまわんとも」大佐は無頓着にそう答えた。「誰だろうとかまわんとも、おまえの友人なら。その男、きっと座に彩りを添えてくれるだろう」

「顔を黒く塗ってみせるだろうな、彩りがお望みなら」ブラントは大笑いしながら言った。「みなさんの信用に墨を塗るかもしれん。わたしは平気さ、もともとお上品じゃないからね。わたしはシルクハットを尻に敷くような、なんともばかげたパントマイムが大好きなんだ」

「わたしのだけはごめんこうむる」と、レオポルド卿がもったいぶって言った。

「まあまあ」クルックがくだけた調子で口をはさんだ。「言い合いはよしましょう。シルクハットを尻に敷くより低級な悪ふざけだってあるんだから」

赤いネクタイの若者の不穏当な言辞と、かわいがっている名づけ娘に対する、その見るからに親しげな態度の双方に嫌悪を感じていた卿は、とうとう思いきり皮肉げで、尊大な態度で口をひらいた。「ではきみはシルクハットを尻に敷くより低級なことをご存じなわけだ。それはどういうものかな、いったい？」

「たとえばシルクハットを頭に載せることとか」と、この社会主義者は答えた。

「さあさあ」カナダの農場主が野育ちの人間らしく鷹揚にその場をとりなした。「せっかくの楽しい一夜をぶちこわしにすることはない。どうだろう、今夜の集まりのためになにかやってみては。顔を黒く塗らなくてもいい、シルクハットの上に坐らなくてもいい、そういうのはおいやなら——でも、それと同趣向のことをなにかやってみようではないか。昔ながらのイギリス独特のパントマイムはどうかな——道化者やコロンバインなんかが登場する、イギリス独特のやつだよ。イギリスを出る十二歳の年に見たんだが、以来ずっと頭にはっきりと焼きついている。わたしは先月、故国へ帰ってきたところだが、もうああいうものはすたれてしまったようだ。最近はおとぎ話のようなめそめそした芝居ばかりじゃないか。こっちは焼けた火掻き棒と警官でソーセージをつくりたいのに、見せられるのは、月光の下で道を説くプリンセスとか青い鳥といったものばかりだ。それなら青ひげのほうがこっちの好みに合う、なかでもあの男がばかな老いぼれに変わるところが最高だ」

「警官をソーセージにするというのは大賛成だな」と、ジョン・クルックが言った。「社会主義の定義づけとしては、ついさっきのよりはこのほうが上等だよ。しかし、どう見ても、それをするには衣裳や道具立てが大変すぎやしないかな」

「いや、ぜんぜん」すっかり調子に乗ったブラントは声を張りあげて言った。「パントマイムというのはわれわれにもいちばん簡単にやれる芝居だよ、理由は二つ。まず、好きなようにふざけられる、次に、道具類は家のなかのもので間にあう——テーブルやらタオル掛けやら洗濯籠といったもので」

「なるほど」クルックは合点して、しきりにうなずきながら歩きまわった。「しかし、ぼくの着る警官の制服が手にはいりそうにないぞ！　ここのところ警官を殺してないんだ」

ブラントはちょっとのあいだ眉を寄せて考えこんでいたが、やがてぴしゃりと膝を打った。「いや、手にはいる！　フローリアンの住所はわかってる。彼はロンドンじゅうの衣裳屋を知ってるはずだ。これから電話をして、こっちへ来るとき警官の制服を持ってきてもらおう」彼は足をはずませて電話のところへ向かった。

「すごく楽しそうだわ、おじさま」ルビーは大きな声で言った。いまにも踊りだしそうに見えた。「わたしがコロンバインになって、おじさまには老道化（パンタルーン）になってもらうのよ」

百万長者は未開地の異教徒のように頑（かたく）なに身を強（こわ）ばらせていた。「いや、待ちなさい」彼は言った。「パンタルーンは誰か別人にやってもらいなさい」

「わたしがパンタルーンをやりましょう、もしよければ」アダムズ大佐がくわえていた葉巻を口から離して、たった一言、そう述べた。

「大した見物（みもの）になるぞ」ブラントがそう大きな声で言いながら、顔を輝かせて電話からもどってきた。「これですっかり揃（そろ）った。ミスター・クルックはクラウンだ……新聞記者だから、昔の冗談に通じているだろうし。わたしはハーレキンならやれそうだ、長い脚で飛びまわっていればいいんだから。友人のフローリアンが警官の衣裳を用意してくるそうだ……途中でそれに着替えてくると言ってる。舞台はこのホールでいい、観客席は正面の広い階段だな、下から順々に坐ればいい。玄関口が背景だ、開いていてもいいし閉じていてもいい。閉めればイギリスのある家の内部、あければ月光の庭だ。万事、魔法のようにうまくいってる」彼はたまたまポケットにはいっていた撞球（たまつき）用のチョークを取り出すと、フットライトを置く位置として、玄関扉と階段のなかほどの床の上に線を引いた。

　このばか騒ぎがあれだけの時間のうちに準備万端ととのったのは不思議である。だが、一同は若さが家のなかにあるとき生じる、むこうみずさとひたむきさで事に取り組んだ……そしてその夜は、この家のなかに若さがみなぎっていたのだ、それを燃えあがらせている二つの顔と二つの心の持主を、全員がちゃんと識別していたわけではないかもしれないが。よくあることだが、はじめはブルジョワ流のごくおとなしいやり方で進めるはずだったのが、そのうちどんどん派手な工夫がこらされるようになった。コロンバインは、どういうわけか客間の大きなランプの笠にそっくりの、人目を引きつけずにはおかないスカートをはいて、じつに魅力的だった。クラウンとパンタルーンはコックから貰った小麦粉と、やはり使用人の誰やらから（施しをする真のクリスチャンの例に洩れず、その名はついに明かされることがなかった）手に入れた口紅で、顔を白く赤く塗りたてた。ハーレキンはすでに葉巻箱の銀紙で飾っていたが、キラキラの水晶を身につけるべく、まばゆく輝くヴィクトリア朝時代の古いシャンデリアをあわや叩き壊そうかとしていたところをとめられた。ルビーが、かつて仮装舞踏会でダイヤモンドの女王に扮したとき身につけた、まがいものの宝石を探しだしてこなかったら、きっと彼はその蛮行をやりとげていただろう。実際、彼女の叔父、ジェイムズ・ブラントは手がつけられないほど興奮していた。まるで小学生だった。彼は紙で作った驢馬の頭を断わりもなくブラウン神父の頭にかぶせた。もっとも、神父のほうはそれに耐え、ひそかに自分の耳を動かすこつさえ見つけだした。ブラントはレオポルド卿の燕尾服の裾に紙製の驢馬の尻尾をつけることも試みたが、これは卿ににらみつけられてあきらめた。「叔父さんときたらまるでばかみたい」クルックの両肩に糸に通したソーセージを念入りにつけてやったルビーが高い声で言った。「どうしてあんなにはしゃぎまわってるのかしら」

「彼はコロンバインの相手のハーレキン、つまりきみの恋人だぞ」と、クルックは言った。「ぼくは古くさいギャグを演じるただのクラウンだ」

「あなたにハーレキンになってほしかったわ」彼女はぶらぶら揺れるソーセージから手を離した。

ブラウン神父はそうした舞台裏の細部を逐一知っていたし、みずから枕を変形させてパントマイム用の赤ん坊を作りあげ、一同の賞賛を博しさえしたが、結局は玄関ホールへまわって、はじめてマチネーを見る子供のような、生真面目な期待の表情で観客席に坐った。観客といっても数は少なく、親類の者と近所の知り合い二、三人、そしてこの家の使用人たちだった。最前列にはレオポルド卿が坐っていたので、その巨体と革襟が、うしろにいる小柄な神父の視界を著しく妨げた。しかし、神父がたいへんな傑作を見逃したことになるのかどうか、芸術の権威によって結論が出されたわけではない。パントマイムは無秩序の極みだったが、にもかかわらず、その出来はなかなか侮れないものだった。その混沌のなかに、クラウン役のクルックの即興演技から発する熱気が一貫して流れていた。彼はふだんから才気煥発な男であるが、この夜は霊感によって全知の能力を吹きこまれ、頭の回転ではこの世の誰にも負けない、切れ者の三枚目と化していたのだ。これは、若者がある特定の人間の顔に、ある特定の表情を認めた瞬間、身内から湧いてくる能力なのである。彼はクラウン役のはずだったが、実際には、作者から（作者なるものが存在するとすればだが）台詞つけ、背景方、道具方とすべてこなし、さらにはオーケストラの役まで引き受けた。狂乱の演技にふと間が生じると、彼は扮装のままピアノへ飛びつき、くだらないけれども場面にはぴったりの流行りの曲をガンガン叩き出すのだった。

　クライマックスは定石どおり、背景となっている扉が大きく開いて月光を浴びた美しい庭が現われた瞬間に、そしてそこに、さらに人目を引く、かの有名な役者が立っていた瞬間に訪れた。警官に扮した名優、フローリアンが登場したのだ。ピアノの前のクラウンは、ギルバートとサリヴァンのオペレッタ、「ペンザンスの海賊」の警官隊の合唱のところを弾いたが、それも沸き起こった大喝采に呑みこまれてしまった。偉大な喜劇役者の動きのすべてが、大げさではないものの、警官の態度物腰をじつにうまく表現していて絶賛ものだったのだ。ハーレキンが警官に飛びかかって、ヘルメットの上から殴りつけた。ピアノ弾きは曲を「その帽子はどうした?」に変え、顔をあっちこっち動かしてびっくりしたふりを演じながら弾きつづける。そこでハーレキンがまた躍りあがって警官を殴った（ピアノは「そこでもう一つお見舞いした」の二、三小節を弾いた）。ハーレキンは今度は警官のふところへ飛びこみ、観客の盛大な拍手喝采のうちに相手をひっくり返して馬乗りになった。すると奇妙にも相手の役者は、以後パトニー界隈で語られることになる、見事な死に真似を演じてみせた。生きた人間がそこまでぐんにゃりとなった演技ができるというのはまずもって信じがたかった。

精力的に動きまわるハーレキンは、警官を麻袋のように振りまわし、ひねり、運動用の棍棒のようにぽいと投げ出した。その間ずっと、ピアノはその動きに合わせて、滑稽しごくな曲を奏しつづけていた。ハーレキンが道化の警官を重たげに引っぱりあげるときには「我、汝の夢から甦る」が、無造作に背中にかつぐときには「重き荷を背負い」が弾かれ、いよいよ最後に、どさっという確かな落下音とともに警官の体が床に投げ出されるくだりでは、ピアノの前のクラウンは狂ったように鍵盤を叩いて軽快な曲を弾いていた。そのとき彼が口ずさんでいた文句は、たしか〝恋文を届けに行ったが、途中で落としてしまったよ〟というものらしいと伝えられている。

そんなふうに精神的無政府状態は限界に達しかけていたが、ちょうどこのころ、ブラウン神父の視界はすっかりふさがれてしまっていた。前にいるシティの大立者が伸びあがるように立って、ポケットというポケットにむやみやたらと手を突っこんでいたのだ。

そのうち浮かぬ顔でまだもぞもぞやりながら腰をおろしたが、じきにまた立ち上がった。一瞬、いまにもフットライトの上をまたぎ越えそうなそぶりが見えた。が、そこで、ピアノの前のクラウンをふり向いてにらみつけ、それから無言のまま、猛然とホールを出ていった。

神父はそのまま舞台を見まもっていたが、二、三分もすると、素人役者のハーレキンは奇怪ではあるが優美とは言えなくもないダンスを踊りながら、すっかり意識を失っている敵の上をまたぎ越えた。ハーレキンは荒っぽいが真に迫った演技で、ゆっくりとうしろ向きに踊りながら、月光のあふれる静まりかえった庭へと出ていった。フットライトを浴びてひどくギラついていた銀紙と模造宝石の即席衣裳が、冴えわたる月光の下を遠ざかってゆくにつれて、ますます銀色が鮮やかに、そして神秘的に見えた。観客が割れんばかりの拍手を送りながら玄関ホール中央へ進みはじめたそのとき、いきなり何者かがブラウン神父の腕にそっと触れ、大佐の書斎へお越しいただきたい、と囁(ささや)いた。

神父は疑念をつのらせながらあとについていった。書斎にはいり、陰気ではあるが、滑稽さをぬぐいきれないその場の雰囲気に接しても、胸騒ぎはおさまらなかった。大佐はさっきと変わらぬパンタルーンの扮装のままで、節のある鯨のひげが額の上でぶらぶら揺れていた。だが、その目にはお祭り騒ぎをしらけさせてしまうに充分な悲嘆の表情があった。レオポルド・フィッシャー卿はマントルピースに寄りかかって、大変な事態が生じたことを示す、ものものしいあえぎ声を洩らしていた。

「とんでもないことが起きたのだよ、神父」アダムズ大佐が言った。「じつは、われわれが今日の夕方見せてもらったあのダイヤモンドが、友人の燕尾服のポケットから消えてしまったんだ。で、きみは——」

「わたしはというと」ブラウン神父はにっこり笑い、大佐にかわってあとを言った。「彼のすぐうしろに坐っていた——」

「そんなことは誰にも言わせはしないよ」と大佐は言ったが、レオポルド卿に向けた硬い目からすると、どうやらそういうことがすでにほのめかされたようであった。「わたしとしては、紳士なら誰でも応じてくれるであろう協力を求めたいだけなんだ」

「つまり、ポケットをからにしてみせろと」ブラウン神父はそう言って、すぐにそれをやってみせた。七シリングと六ペンスの硬貨、一枚の往復切符、小さな銀の十字架、小型の日禱書（にっとうしょ）、棒チョコ一本が出てきた。

大佐はしばらく神父に目をそそいだのち、口をひらいた。「ほんとうはあなたのポケットのなかより、頭のなかをぜひとも見せてもらいたいところなんだ。わたしの娘はあなたの教会の信者だ、それが、娘が最近、なんと言うか——」大佐は最後まで言わず、やめてしまった。

「あの娘（こ）は最近」レオポルド卿が大声で言いだした。「破壊的な社会主義者にこの家の門戸を開いた。富める者からならなんだって盗ってやると公言している男に。これがその結果だ。富める者変じて——いまやなんにもなしだ」

「わたしの頭のなかが見たければお見せしますよ」神父はちょっとうんざり顔で言った。「それに価するかどうかは見たあとで判断すればよろしい。しかし、このすっかり使われなくなったポケットでまず見つかるのはこういうことですな……ダイヤモンドを盗まんとする者は社会主義を口にはしません。連中はまずもって」神父は真面目くさって次を言った。「社会主義を罵倒するでしょうな」

それを聞いた二人はぎくりとなって身じろぎした。神父はさらにつづけた。

「いいですかな、わたしたちにはここに集まった人間のことは多かれ少なかれわかっています。あの社会主義者にしたって、ダイヤモンドを盗むのはピラミッドを盗むのとおなじです、やりっこありません。まず目を向けるべきは、われわれのよく知らない、ただ一人の人物ですよ。警官に扮した男——フローリアンです。ところで、いまあの男はどこにいるんでしょう?」

パンタルーンは跳ねるように立つと、大股で部屋を出ていった。その後にしばし空白の時間が生じ、百万長者はその間じっと神父を見つめ、神父のほうは日禱書に目を落としていた。やがて大佐がもどってきて、切れぎれの低い声で説明した。「警官はまだ舞台に横になったままだ。カーテンはもう六回も上がったり下がったりしたが、まだあの場に横たわっておる」

　ブラウン神父は手にしていた本を落とし、呆けたような顔になった。そして、徐々に灰色の目に光がもどってきたかと思うと、意図のはっきりしない問いを投げかけた。

「つかぬことをお訊きしますが、大佐、奥さまが亡くなられたのはいつでしたっけ？」

「家内が！」大佐は驚いてそう聞き返した。「今年、二月まえのことだよ。あれの弟のジェイムズは一週間遅れで死に目にあえなかった」

　小柄な神父は鉄砲玉をくらった兎のように跳び上がると、「行きましょう！」と、珍しいことにひどく興奮して叫んだ。

　三人はカーテンの下りた舞台へ駆けつけ、コロンバインとクラウンのそばを（いかにも楽しげになにやら囁きあっているようだった）遠慮もなく通りぬけた。そしてブラウン神父は横たわっている警官役の男のそばにしゃがんだ。

「クロロフォルムだ」彼はそう言いながら立ち上がった。「いまやっとわかった」

　ほかの二人は唖然となって黙りこくっていたが、やがて大佐がのろのろと言った。

「いったいどういうことか、冗談ぬきで説明してもらえないかな」

　ブラウン神父はいきなり大声で笑いだしたが、じきに笑いやめ、あとはときおり笑いを嚙み殺しながら説明した。「いいですか」と言ってあえぎ、「あまり時間がないんです。犯人を追わなくちゃなりません。しかし、この警官に扮したフランスの名優――と言うか、ハーレキンがいっしょにワルツを踊り、抱いて揺さぶったりほうり投げたりした、この器用な死体は何者かといえば——」神父はそこでまた声を詰まらせ、次にはくるりと背を向けて走りだした。

「いったい何者なんだ?」と、レオポルド卿が大声で問いかけた。

「本物の警官ですよ」と、ブラウン神父は答え、闇のなかへ飛び出していった。

この家の緑のゆたかな庭のずっと端のほうには谷状の窪地や東屋があって、そのあたりでは、真冬だというのに月桂樹はもとより、さまざまの不死身の低木類が葉をつけているのがサファイア色の夜空と銀色の月を背景にくっきりと見え、その色調が南国を思わせた。風に騒ぐ緑の月桂樹と、豊潤な紫がかった藍色の夜空と、巨大な水晶のような月がえもいわれぬロマンチックな眺めをつくりだしている。そして、その庭の樹々の高いところの枝のあいだを登ってゆく人影はなんとも奇怪で、およそロマンチックとは言いがたかった。まるで幾千万もの月を体に着けたかのように、頭から足までキラキラと光をはなっている。動くたびに本物の月光がそのあとを追い、光をはなつ箇所がそのたびに変化する。だが、人影は体を揺らすと、まばゆい光をはなちながら、隣接するべつの庭のもっと高い樹に巧みに飛び移り、枝を大きく揺らしたかと思うと、ぴたりと動きをとめた。そのとき、いままでとりついていた低い樹の下へ何者かがすっと忍び寄り、まぎれもなく樹上へ向かって呼びかけてきたのだ。

「やあ、フランボー」と、その声は言った。「きみはまさに〝飛ぶ星〟だよ……しかし、それはいつかは〝落ちる星〟に変わると決まっているんだ」

月桂樹の高みにひそんだ銀色の輝きをはなつ人影は逃げおおせる自信があるらしく、身を乗り出して、下方の小柄な人物の話に耳を傾ける気配を見せた。

「今回はいままでに増して鮮やかな手並だったな、フランボー。アダムズ夫人の亡くなった一週間後に――たぶんパリ経由でだろうが――カナダからやってきたのは頭がいい、誰もあれこれ詮索するような気分ではないからな。それ以前に、〝飛ぶ星〟の所在と、フィッシャーの当家訪問の日を正確に突きとめていたのもお見事だ。しかし、その後のことは、鮮やかな手並どころか、それこそ天才の手口だったよ。あの宝石を盗むのは、きみにとっては造作もないことだったろう。卿の燕尾服の裾に紙製の驢馬の尻尾をくっつけるふりをすることのほかに、きみならそれこそ百通りもの手段があったはずだ。しかし、それをべつにすれば、今度のはこれまでのと比べても、一皮も二皮もむけた見事なものだったよ」

緑の葉陰にひそんだ銀色の人影は、後方に逃走路が大きくひらけているにもかかわらず、催眠術にかかりでもしたようにその場を動かない。その目は下方の男にじっとそそがれていた。

「そうともさ」と、下方の男はつづける。「わたしにはすべてわかったんだ。きみがあのパントマイムをみんなにただ押しつけただけではなく、二つの目的に利用したのだとわかっている。きみはあの宝石をこっそり盗むつもりでいた……ところが、すでに警察が疑いをかけていて、腕ききの刑事がほかでもないその夜にきみを挙げに来ると、仲間からの伝言で知らされた。ただの盗っ人なら、これは助かったとさっさと高飛びしたところだろう……しかし、きみは詩人だ。そのときには、盗んだ宝石を芝居用のキラキラ光るまがいものといっしょにして隠すという、じつに利口な手口を考えついていた。と、そこで、また思いついた。その芝居の衣裳がハーレキンのものならば、警官の登場と見事に調和をなすではないか、と。で、きみを見つけ出すべくパトニーの署を出たその有能な刑事は、世にも奇妙な罠のなかへ踏みこむことになった。玄関の扉が開いた瞬間、彼はまっすぐクリスマスのパントマイムのなかへ足を踏み入れてしまい、跳ねまわるハーレキンに蹴られ、殴られ、薬を嗅がされて気を失う羽目になった、パトニーの名家の面々が大声で笑いころげる前で。いやいや、きみにもあれ以上のことはこの先二度とできまい。まあ、それはさておき、例のダイヤモンドはこっちへ返してもらえないかな」

　銀色の輝きをはなつ人影が揺れている緑の枝の上で、はっと身じろぎしたかのように、木の葉のこすれあう音がした。下の声は先をつづけた。

「あれをもどしてほしいんだよ、フランボー、そして、こんな人生はもうやめにしてほしい。きみにはまだ若さがある、自尊心もユーモアもある。が、こんな稼業をしていては、それも長くは保たんだろう。人は善の道ではある種の水準を保つことはできようが、悪の道で一定の水準を保ちつづけた者はいまだかつていないぞ。その道はどんどん下る一方なんだ。やさしい男が酒のせいで非道い人間になる……正直な男が人を殺し、殺してないと嘘をつくんだ。わたしが知っているだけでも、きみと同様、初めは、筋を通すならず者、金持から奪う愉快な盗賊として通っていたものの、結局は人間のくずと烙印を押されることになったのがいっぱいいる。モーリス・ブルームは最初は志操ある無政府主義者であり、貧しい者の父だった……その彼は、最後にはどっちの陣営からも蔑まれながら利用されるスパイ、告げ口屋になりはてた。ハリー・バークはフリー・マネーの運動を始めたときは真摯そのものだった……それがいまは、食うや食わずの姉にたかって、ブランディーのソーダ割りを浴びつづけている。アンバー卿は荒っぽい連中のなかへ騎士のごとくはいっていった……彼はいま、ロンドンでも最下等の禿鷹連中に金をゆすられている。きみの先輩格の紳士強盗にはキャプテン・バリヨンがいる……彼は、自分を裏切り、警察に追いつめさせるきっかけをつくった密告屋や故買人に怯えつづけ、のたうちながら精神病院で死んでいった。きみの背後の森が自由を約束するものに見えるであろうことはわかっているよ、フランボー……きみなら猿のように、またたくまにあのなかへ融けこんでしまえることも。しかし、いつかはきみも灰色の老いぼれ猿になるんだぞ、フランボー。きみはその森に寒々とした心を抱えて坐り、近づく死を待つことになる――森の木々の梢はすっかり葉を落としているだろうよ」

あいかわらず、上方にはなんの動きも見えず、下にいる小柄な人物が樹上の相手を目に見えない紐でつなぎとめているかのようだった。声がさらにつづけた。

「きみの転落はいま始まったところだよ。卑劣な真似はいっさいしない、きみはそう意気がっていたものだが、今夜ばかりは卑劣なことをやらかしたぞ。きみはなんの罪もない若者に疑いをかけたままにしておこうとしている、すでにかなり不利な立場に置かれているのだよ、その若者は。きみは相思相愛の関係にあるあの彼と娘との仲を裂こうとしている。しかし、死ぬまでにはこれよりもっと卑劣なことをやることになるだろうな」

三つのダイヤモンドがきらめきながら地上へ落ちてきた。小柄な男が腰をかがめてそれを拾いあげ、ふたたび見あげてみると、こんもりとした緑の枝葉がつくる樹上の巣に、もう銀色をした鳥の姿はなかった。

宝石が（はからずも、またこともあろうに、ブラウン神父の手で）回収されたことで、この夜は浮かれ騒ぎのうちに幕を閉じた。すっかり機嫌をよくしたレオポルド卿は神父に向かって、自分はもっとひらけた考えの持主ではあるが、信仰の求めるところに従って世間からひっこんで暮らす、社会のことにはまるで無知な人種に尊敬の気持を持ってもよかろうと思う、と口にさえした。

クリスマスの悲劇

アガサ・クリスティ
深町眞理子訳

アガサ・クリスティ
一八九〇―一九七六。イギリス生まれの作家。一九二〇年に長篇『スタイルズ荘の怪事件』で作家デビュー。長篇、短篇、戯曲など、その作品群は百以上にのぼる。その功績をたたえて大英帝国勲章が授与されている。

深町眞理子（ふかまち・まりこ）
一九三一年生。著書に『翻訳者の仕事部屋』。訳書にクリスティ『ＡＢＣ殺人事件』、ブランド『招かれざる客たちのビュッフェ』他多数。

Agatha Christie: A Christmas Tragedy,1932

「ひとつ苦情を申し述べたいのだがね」と、ヘンリー・クリザリング卿が言いだした。

そう言いながら目をかすかにきらめかせて、一座のものを見まわす。見まわせば、バントリー大佐は脚を大きく投げだし、まるで分列行進で怠惰にだらだら歩いている兵隊でも見つけたように、しかめっつらでマントルピースを睨みつけているし、大佐の夫人は夫人で、さいぜん午後の便で郵送されてきたばかりの球根のカタログを、こっそり横目づかいに見ている。ロイド博士はどうかというと、これは賛嘆の色を隠そうともせず、ジェーン・ヘリアを見つめているし、見られている当の若い美人女優はといえば、こちらはピンク色に磨きあげられた両手の爪を、いかにも思案ありげにためつすがめつしている。ただひとり、かの未婚の老婦人、ミス・マープルだけが、背筋をのばしてしゃんとすわっていて、その淡青色の目がサー・ヘンリーのまなざしに応えて、ちかっとまたたいた。

「苦情とおっしゃいましたか？」小声で言う。

「そう、いたってまじめな苦情です。いまここには六人の仲間がいて、男女それぞれ三人ずつが、両性を代表している。で、わたしは、その三人の虐げられた男性のために発言しているのですが、今夜、ここでは三つの物語が語られた——どれも、語ったのは男性ばかり！　つまりわたしの言いたいのは、当然ご婦人がたもここで応分の義務を果たすべきだが、いまだだれもそれを果たしておられんと、まあこういうことなのです」

「あら、それならちゃんと果たしておりますわよ」バントリー夫人が憤慨のていで言いかえした。「お話は傾聴しましたし、最大限、知的な好奇心をもって受けとめもしました。要はあたくしども三人、真に女性らしい態度を示しているというだけ——つまり、自分から脚光を浴びるようなところへしゃしゃり出るのは控える、そういうことなんです！」

「なるほど、みごとな弁明だ」サー・ヘンリーは言った。「しかし、それで押し通せると思ったら大まちがいですぞ。そうだ、『アラビアン・ナイト』という、ちょうどうってつけの先例もある。〝いざ、語りたまえ、シェヘラザードよ！〟」

「それ、あたくしのことですの？」と、バントリー夫人。「そうおっしゃられても、ここでご披露できるような逸話の持ちあわせなんか、まるきりございませんわ。血なまぐさい殺人やら謎の事件やら、そんなものとは、とんと無縁に生きてきましたもの」

「べつに血なまぐさい殺人に固執しておるわけではないですが」サー・ヘンリーは言う。「それでも、ご婦人がたが三人もおられるのだから、どなたかおひとりぐらいは、十八番の謎物語でもお持ちじゃないか、と。さあ、どうです、ミス・マープル――〈通いの掃除婦の不思議な偶然の物語〉とか、〈教区の母の会の怪事件〉とか、その種の話はありませんか？　せっかくこうしてセント・メアリ・ミードまできておるんです――わたしを失望させんでください」

　ミス・マープルはかぶりをふった。

「あいにくなにもありませんね、サー・ヘンリー、あなたが食指を動かされるような話は。そりゃもちろん、日常のちょっとした謎ならありますよ――いつぞやちょっとお話しした、殻むき小蝦（シュリンプ）が二ジルそっくり、不可解にも消えてしまった件とか。でも、そんな話にあなたが興味を示されるとは思えません。謎が解けてみれば、あまりにも些細な問題ですから――もっともそれが、人間性の解明には、すくなからぬ光明を投げかけてはくれるんですけどね」

「いや、人間性なるものを重視するということ、これはいままであなたから十二分に教えられてきましたよ」サー・ヘンリーは真顔で言った。

「あんたはどうです、ミス・ヘリア？」言ったのはバントリー大佐だった。「これまでさぞかし興味ぶかい経験をしてこられただろうと思うんだが」

「いやまったく、そのとおりですよ」と、これはロイド博士。

「あたしですか？」と、ジェーン。「とおっしゃるのは、つまり――なにかあたしの身に起きたことを話せってことですの？」

「でなくば、ご友人のだれかの身に起きたことでも」サー・ヘンリーが言葉を添える。

「まあ！」ジェーンは漠然と言った。「あたしの身になにかが起きたことなんて、ぜんぜんないと思うけど――すくなくとも、いまおっしゃったような出来事は。もちろん、知らないひとからお花が届いたり、妙な伝言が届けられたり、そういったことならありますけど――でもそんなの、相手は男性に決まってるでしょ？　そうじゃない出来事となると――」語尾をとぎらせたきり、あとは思案に暮れているようす。

「こうなると、やはりその小蝦の一件というのをお話しいただくしかなさそうだ」サー・ヘンリーが言った。「さあ、頼みますよ、ミス・マープル」

「サー・ヘンリー、おからかいになっちゃいけません。小蝦の一件なんて、ほんのナンセンスですから。でも、そう言われてみれば、いまひとつ思いだしました、ある事件を――すくなくとも、ただの出来事ではなく、もっとはるかに深刻ななにか――まあ悲劇ですわね。そしてその悲劇に、ある意味でこのわたしもかかわっているんです。でも、かかわったこと自体は、後悔しておりません――ええ、ええ、後悔なんか、これっぽっちも。ただね、この出来事、じつはセント・メアリ・ミードで起きたことじゃないんですよ」

「そうか、それは残念だな」サー・ヘンリーが言った。「しかしまあ、そこはせいぜい辛抱するとしましょう。なにせ、あなたのお話なら、期待して裏切られることはないとわかっとりますから」

彼はすわりなおして、さあお聞きしましょうといった姿勢になった。ミス・マープルはわずかに頰を染め、いくらか気づかわしげに言った――

「的確にお話しできるといいんですけどね。あいにく、話しだすと、だらだらとまとまりのない話しかたになる傾向が強くて。話があちこちに飛ぶんです――しかも自分では、話が飛んでることなど、ぜんぜん自覚してない。それに、さまざまな事実をちゃんと順序だてて思いだすのって、とてもむずかしいものですしね。ですから、かりに話がまずくても、どなたもどうかご勘弁ください。この出来事自体が、遠い、遠いむかしに起きたことでもありますし。

いまも言ったとおり、この話、セント・メアリ・ミードとはなんの関係もないんです。関係があるのは、実際にはある水療養施設(ハイドロ)でして――」

「ハイドロって、水中翼船(ハイドロプレーン)のことですか？」ジェーンが目を丸くして言った。

「まあ、あなたはご存じないでしょうね」バントリー夫人が助け船を出し、ハイドロがいかなるものかを説明した。彼女の夫が、それをさらに敷衍(ふえん)する――

「不愉快な場所だよ――じつに不愉快きわまる！　朝は早くからたたき起こされて、ひどい味のする鉱泉の水を飲まされる。水場のまわりには、ばあさんばかりが大勢たむろして、日がな一日、うわさ話やらなにやら、ぺちゃくちゃと意地の悪いおしゃべり三昧(ざんまい)。実際、いま思いだしてみても、胸が悪く——」

「あらあら、アーサーったら」と、バントリー夫人がうららかに言ってのける。「お忘れですの？——あなただって、あのときの湯治(とうじ)のおかげで、いまもそうして元気にしていられるんじゃありませんか」

「とにかくだ、ばあさんばっかりがうじゃうじゃ、それがずらっと鉱泉をとりかこんで、ろくでもない他人のうわさ話ばかりをぺちゃくちゃ」バントリー大佐はなおもぶつくさ言う。

「ええ、残念ながらそのとおりだと思いますよ」ミス・マープルが言った。「こう言うわたし自身——」

「いやいや、ミス・マープル」大佐は恐縮して、つい声を高める。「あなたのことを言ってるわけじゃない。あなたのことをあてこすろうなんて、実際、そんなつもりはまったく——」

　ミス・マープルはほんのり頬を染め、小さく手をあげて大佐を制した。

「いえ、おっしゃってること自体は、たしかにそのとおりなんですよ、バントリー大佐。ただし、わたしならば、おなじことをこんなふうに言いますけど。ええと、ちょっと考えをまとめさせてくださいな。

ええ、そう。おっしゃるように、ろくでもない他人のうわさ話ばかりですわね——話題はそればっかり、それをみんながいやってほどくりかえす。よく非難されますよ——とくに若いひとたちから。わたしの甥、作家なんですが——これが身びいきかもしれないけど、けっこういいものを書いてます。この甥がね、いつぞやずばり、辛辣(しんらつ)な指摘をしてくれました——なんの証拠もないのに、他人の面目を傷つけるようなことを触れまわる、これがいかに罪深いか、いかに悪質な行為であるか、うんぬん。でもね、わたしが言いたいのは、そういう若いひとたちだって、なにか言う前にちょっと立ち止まって考えるということ、それをけっしてしないってことなんです。実際、真実はどうなっているかを検証してみるなんてこと、若いひとたちはまずしませんからね。

　でまあ、つまるところ、話の核心というのはこういうことなんです——そうしたくだらないおしゃべり、あなたのおっしゃるところの、ろくでもない他人のうわさ話、そういった話のなかにこそ真実が含まれているという、そんな例がいかに多いか。ですから、いまも申しましたように、ちょっと立ち止まって、実際にそのうわさ話を検証してみれば、十のうち九までは、それが根も葉もないうわさではなく、真実そのままだってことがわかるはずなんです。うわさの種にされた側がひどく憤慨するのも、じつはそれが真実だからこそ、なんですよ」

「当を得た推測、というわけですか」サー・ヘンリーが言う。

「いえいえ、そうじゃありません。推測なんかとはぜんぜんちがいます！　習熟と経験の問題なんですよ。聞いた話ですけど、あるエジプト学者は、ほら、ありますでしょ、あの珍しい、小さな聖甲虫（スカラベ）、あれを見せられると、その外観と手ざわりだけで、それが紀元前何千年前の遺物か、それともバーミンガムあたりでつくられた現代の模造品なのか、言いあてることができるそうです。でもそれでいて、そう見きわめるための明確な原則というもの、それを必ずしも持っているわけじゃない。たんにわかるだけなんです。生涯を通じて、そういうものを取り扱ってきたからこそ、直感でわかるわけですよ。

　つまりそれなんです、わたしがさっきから言おうとしてるのは（すみませんね、ずいぶんまわりくどい話で）。甥の言うところの〝贅沢なご身分のご婦人がた〟は、みんな暇を持て余していますし、おもな関心事といえば、おおかたは世間のひとたちのうわさ。それでおのずと、いわゆる〝人間通〟になるわけです。

　いっぽう、昨今の若いひとたちはどうかというと――こちらも自由に、奔放（ほんぽう）にしゃべりまくりますよね――わたしたちの若いころには、けっして口にはされなかったようなことまで。ところがその反面、ものの見かたとなると、驚くほど無邪気そのもの。どんな相手でも信用するし、どんなことでも真実だと思いこむ。そして年長者がそれをたしなめようとすると――それこそ、ごくごくものやわらかにたしなめようとでもしようものなら、憤慨して、非難するわけです――あんたの考えかたはヴィクトリア時代から脱却しきれていない、そんなのは、キッチンのシンクみたいなものだ、って」

「ほう。しかしつまるところ、シンクのどこがいけないんですかな?」サー・ヘンリーが言った。

「まさにそれなんですよ」ミス・マープルは勢いこんで言った。「どこの家でだって、シンクはなくてはならないもの。でも、あいにくロマンティックではない。

ところで、わたしだってみなさんとおなじに、感情というものは持ってますし、心ない言葉でひどく傷つくことも、ちょくちょくあります。まあ殿方は、家庭内の細々した問題にはあまり関心などおありじゃないでしょうけど、ここでぜひとも聞いていただきたいと思うのは、以前うちにいたメイドのエセルのことです——見た目はとてもきれいな娘で、何事も唯々諾々とこなしてくれました。でもね、わたしは一目見たとたんに、彼女がアニー・ウェッブや、気の毒なミセス・ブルーイットのところの娘さんと、まったくおなじタイプだってことがわかったんです。いずれ機会に恵まれれば、彼女、ひといのものも自分のものも見さかいがつかなくなる。それが目に見えているので、彼女には一カ月だけで暇を出すことにし、身元証明書には、正直で、まじめな働き手だと書いて持たせました。でも、いっぽうでは内々にミセス・エドワーズに連絡をとって、あの娘を雇うのは考えものだと知らせてあげたわけです。

ところがね、わたしの甥のレイモンド、彼がそれを知ってひどく憤慨しまして、そんな汚いやりかた、前代未聞だって責めるんです——ええ、そう、汚いって。で、まあエセルは、そのあとレイディー・アシュトンのお屋敷に奉公することになったんですけど、このかたにはわたし、わざわざ知らせてあげるほどの義理もありませんからね——それで、結局、どうなったとお思いですか？　きれいな下着のレースがぜんぶ切りとられ、ほかにもダイヤのブローチがふたつ持ちだされた——そしてエセルは夜中にお屋敷をとびだしたきり、以後、杳として行方が知れません」

ミス・マープルはここでいったん間をおき、深々と息を吸いこんでから、話をつづけた。

「こんな話、問題のケストン・スパ・ハイドロで起きた事件と、なんの関係があるのかとお思いでしょうね——でも、それがあるんですよ、ある意味で。わたしがはじめてサンダーズさんご夫妻が連れだっている姿を見かけたその瞬間から、いずれこのひとは奥さんを始末するつもりでいるなと、そう確信したわけ、それを説明してくれてるんです、いまの話が」

「なんですと？　どういう意味です？」サー・ヘンリーは思わず知らず膝をのりだした。

ミス・マープルは穏やかな表情を彼に向けた。

「言ったとおりの意味ですよ、サー・ヘンリー——揺るがぬ確信を持ったんです。サンダーズさんというひと、大柄で血色のいい好男子で、立ち居ふるまいは騒々しいほどに明朗闊達（めいろうかったつ）、だれからも人気がありました。奥さんにたいしても、あれほど細やかに気を遣う夫というのは、まず見たことがありません。にもかかわらず、わたしにはわかった！　このひとは奥さんを殺そうとしている」

「しかしねえミス・マープル――」

「ええ、ええ、おっしゃりたいことはわかります。甥のレイモンド・ウェストだって、きっとそう言うでしょう――証拠らしきものなんか、これっぽっちもないのに、って。でもね、ウォルター・ホーンズという先例があるのを知ってますから、わたしは。〈グリーン・マン〉というお店をやっていた男です。ある夜、奥さんと連れだって歩いて帰宅する途中、奥さんは川に落ちて亡くなりました――そして彼は大枚の保険金を手に入れた！

　まだほかにもひとりふたり、今日（こんにち）にいたるまで、なんの咎（とが）めもなく大手をふってのし歩いている人物がいますよ――しかもそのひとりは、いまここにいるわたしたちと、おなじ階層に属しているひとです。夏の休暇で、奥さんを連れてスイスへ山登りに行きました。行かないほうがいいって、奥さんには忠告してあげたんですけどね。そんなこと言うと、まあたいがいのひとは気を悪くするでしょうけど、お気の毒なその奥さん、怒りはしませんでした――一笑に付しただけです。自分の大事なハリーについて、わたしみたいな妙な年寄りがそんなことを言うなんて、ばかげているとでも思ったんでしょう。

ええ、ええ、案の定ですよ、事故が起こりました——そしてハリーはいま、べつの女性と結婚しています。でも、だからといって、このわたしになにができたでしょう？　わたしにはわかっていた——でも、証拠はなにもないんですから」

「まあ、ミス・マープルったら！」バントリー夫人が声を高めた。「まさか、あなたのおっしゃりたいのは——」

「あのね、奥様、こういうことって、よくあることなんですよ——ごくごくありふれてて、それはもう驚くほど。とくに殿方は、そういう誘惑にのりやすい——女性よりも体力がはるかに勝ってますから、ついそんな気にもなるんです。事故に見せかければ、造作もないことですものね。

いまも話していたように、サンダーズの場合も、すぐにわかりました。市電に乗りあわせたときなんです。込んでいたので、二階席へ行かなきゃならなかったんですけど、降りようとして席を立ったとき、サンダーズさんがバランスをくずして、下にいた奥さんの上に倒れかかったんです。奥さんはそのままっさかさまに階段を転落。さいわい、車掌さんが人一倍頑丈な若いひとだったので、奥さんを抱きとめて、無事にすんだんですけど」

「でもそれ、偶然でしょう？　不慮の出来事ってことで、まちがいないんじゃないかしら」

「もちろん、不慮の出来事ですとも――だれが見ても、偶然だったとしか思えない！　ですけどね、サンダーズさんというひと、かつて商船に乗ってた経験があるんです――自分でそう話していました。洋上で大揺れに揺れる船、そこでバランスをとっていられた元船員ともあろうひとが、たかが市電の二階席でよろけるなんてね――わたしみたいな年寄りですら、ちゃんと立っていられたのに。ま、冗談も休み休み言え、ってところですよ！」

「とにかく、あなたがそう確信されたということだけはのみこめましたよ、ミス・マープル」サー・ヘンリーが言った。「そのとき、その場で、はっきりとそう確信された、と」

老婦人はうなずいた。

「もうまちがいないと思いました。しかも、その直後に通りを横切っているときにも、また偶発事故らしきことが起こりかけましてね――いよいよその確信を強めたわけです。というところで、サー・ヘンリー、お教えいただきたいのですけど、わたしはどうすればよかったのでしょう？　ここにひとりの愛すべき女性がいる――しあわせだと思う結婚をして、ささやかな幸福感を満喫している善良な女性。そんなひとが、まもなく殺されようとしているのですよ」

「いやあ、まいったな――いつもながらあなたというひとには、つい息をのまされる」

「そうおっしゃるのは、あなたがこの節のおおかたのひととおなじに、事実を直視しようとなさらないからですよ。なるべくなら、そんなことはありえないと思っていたい。でも、事実はそうなんです。そしてわたしはそれを知っている。でも悲しいかな、事実を事実と認めてもらうのには、大きな障害がある——とんでもなく厄介な障害が！　たとえば、警察に訴えて出ることはできません。当の女性に警告することならできますけど、結果は目に見えている——無駄なことだと。身魂（しんこん）ともに夫にささげきってましたからね、彼女は。結局、わたしとしては、今後も夫婦の行く末によそながら目を配っていよう、そう心に誓うのがせいぜいでした。

じつのところ、暖炉のそばで編み物なんかしてると、そうする機会って、けっこうあるものなんです。サンダーズさんの奥さん（グラディスという名でしたけど）、こちらが水を向けなくても、自分からいろいろしゃべってくれるひとでしてね。夫婦は結婚してからまだ日が浅いようでした。夫はいずれちょっとした財産を相続する身なんだけど、当面はかなりお金に困っていて、実際、いま現在も、奥さんのさほど多くもない収入に頼って暮らしている。まあ、よくある話ですよね。しかも、奥さんがぼやいて言うことには、その収入も、元金には手がつけられないのだとか。察するところ、どこかでだれやらがなんらかの才覚を働かせて、そのへんをうまく按配していたんでしょうね。

それでも、元金そのものは奥さんのものですし、遺言で相続人も自由に指定できる

――とまあ、こんなことまでわたしの耳にはいっちゃったんですけどね。で、夫婦は結婚してすぐに、それぞれ遺言状をつくって、おたがい同士を相続人としたんだそうです。なんとまあ、感動的なこと！　もちろん、いずれジャック（というのがサンダーズさんの名ですけど）の仕事がうまくいけば――でも、いま現在は、常時それが悩みの種になってて、それまではこのまま、かなり窮迫（きゅうはく）した暮らしをつづけるしかない、と――実際、夫婦の滞在しているのも、最上階の、まわりは使用人の部屋ばかりというところで、火事でも起きれば、たいそう危険です――もっとも、たまたま部屋の窓のすぐ外に、非常階段がありはするんですけどね。部屋にバルコニーはあるのかどうか、わたしはそれとなく訊いてみました――危険ですからね、バルコニーは。後ろから一押し――それで一巻の終わり！

　わたしは奥さんに約束させました――バルコニーにはけっして出ないって。夢見が悪かったから、そう言ったんです。なぜかこれが奥さんには効き目がありましてね――迷信を持ちだすのも、たまには役に立つものですよ。奥さんは色白なんですけど、それがなんだかやつれたような、洗いざらしたような肌色で、そそけた髪をロールにして、うなじのところで束ねていました。とても信じやすいというか、疑うことを知らないたちで、わたしの言ったこともそのまま夫に伝えたようです。夫が一、二度、奇妙な目つきで、わたしのほうをうかがうのがわかりましたから。彼のほうは、信じやすいとはとても言えない人柄ですし、わたしがおなじ市電に乗っていたことも、知っていましたからね。

それでもわたしはずいぶん心を痛めました――心配でたまりませんでしたよ――どうすれば彼の目論見を阻止できるのか、方策が思いつけませんでしたから。ハイドロでなにかが起きるのを未然に防ごうとすれば、一言、彼に釘を刺して、わたしが疑っているということを彼にさとらせる、それだけでじゅうぶんだったかもしれません。でも、それではたんに事を先延ばしするにすぎない。向こうは計画の実行を遅らせるだけでしょうから。そうだ、これにはただひとつ、思いきった方策で対抗するしかない、わたしはだんだんとそう思いはじめました――つまり、どうにかして、彼のひっかかりそうな罠を仕掛けるのです。その罠に彼を誘いこんで、わたしのお膳立てどおりの方法で、彼が奥さんを殺すように仕向ける。そう、それができたら、そこで彼の化けの皮が剝がれ、奥さんも事実を――たとえそれがどれほど彼女にとってショッキングな事実でも――それをいやでも直視せざるを得なくなる」

「いやまったく、息をのまされますな、あなたには」と、ロイド博士が言った。「それでどうなったのです？――どんな案を実行可能として思いつかれたんですか？」

「ご心配なく、たしかにひとつ思いつきはしましたから」ミス・マープルは応酬した。

「ところがね、相手はわたしよりもはるかに抜け目がなくて、べんべんと時機を待っていたりはしなかった。わたしに疑われているようだと感づいて、こちらの肚がまだ決まらずにいるうちに、先手を打ってきたんです。〝事故に見せかけた殺人〟とわたしが疑うだろうことを予期して、正真正銘の殺人へと方針を切り替えたんですよ」

一座のもののあいだに、かすかなあえぎに似たものが走った。そんな一同にうなずいてみせてから、ミス・マープルはけわしい面持ちでくちびるを嚙みしめた。

「ちょっと唐突すぎたようですね、話の運びが。実際に事が起きたとおりに、順序だてて話してみることにしましょう。このことではわたし自身、以来ずっと、ひどく苦い思いを味わってきたんです——どうしても抜けきれないんですよ、あれはなんとしてでもこのわたしの手で防ぎきれたんじゃないか、そんな思いがね。でも、考えてみると、神様のなさることにまちがいのあろうはずはありません。わたしとしては、なにはともあれ、自分のできるかぎりのことはしたつもりです。

当時、あのハイドロには、妙に薄気味悪いとしか言いようのない雰囲気がただよっていました。なにか重苦しいものが、滞在客も含めて、全員のうえにのしかかっている感じで。凶事の予感、とでも言いますか。まず手はじめは、ホールのポーターだったジョージでした。長いこと勤続していて、だれとも顔見知りでしたが、それが、気管支炎に肺炎を併発して、寝ついて四日めに、ぽっくり逝ってしまったんです。とても悲しい出来事で、みんなすっかり打ちのめされましたし、しかも、クリスマスのわずか四日前のことですからね。ところがそこへ追い討ちをかけるように、今度はメイドのひとり——とてもいい娘さんでしたけど——これが、指の傷に敗血症の菌がはいったとかで、こちらはあろうことか、たったの二十四時間で息をひきとってしまった。

わたしは応接室にいました。同席していたのはミス・トロロープと、年配のミセス・カーペンターでしたが、このときのミセス・カーペンターときたら、まさに食屍鬼(グール)以外のなにものでもなかった——なんていうか、この状況をめいっぱい楽しんじゃってるんです。

『まあお聞きなさいまし』そう言います。『けっしてこれが終わりじゃありませんよ。ほら、諺(ことわざ)にも言うでしょう? 〝二度あることは三度ある〟って。この諺が的中してたという経験なら、何度もしてますからね、あたしは。そのうちきっと、もうひとり死にます。ぜったい確かですし、それもそう遠い先のことじゃない。二度あることは三度あるんですから、ええ』

彼女がしたり顔に首をこくこくうなずかせ、編み棒をかちかちいわせてそう言ってのけたとき、たまたまわたし、目をあげて、戸口にサンダーズさんが立っているのを見たんです。その瞬間、ほんのつかのまですが、いつもの警戒心が消えて、素顔があらわになっていました。このことはわたし、死ぬまで信じつづけるでしょうけど、いまのミセス・カーペンターのグールそこのけの言(い)い種(ぐさ)、それこそが彼の頭に、計画のいっさい合(がっ)

財を植えつけたのにちがいありません。顔を見ただけで、頭のなかの精密機械が作動しはじめたようす、それがまざまざと見てとれましたから。

いつものにこやかな、ひとをそらさない笑みを浮かべて、彼はつかつかと応接室にはいってきました。

『やあみなさん、なにかクリスマスのお買い物でもありますかね？　これからケストンの町へ出かけますが』そう言います。

それから一、二分、しきりに笑ったり、しゃべったりしたあげくに、彼は部屋を出ていきました。さっきも申しあげたように、わたしは奥さんの身を案じていましたから、そこですぐに訊いてみたんです――

『サンダーズさんの奥さんはどこにおいでですの？　どなたかご存じ？』

するとミス・トロロープが言うことには、お友達のモーティマーさんご夫妻のお宅へ出向いた、ブリッジのお約束があるとかで、と。それでさしあたりは胸をなでおろしたんですけど、それでも不安は去らず、居ても立ってもいられない。

半時間ばかり我慢したあげくに、とうとう席を立って、自分の部屋へ引き揚げました。階段をあがってゆく途中で、上から降りていらしたドクター・コールズと出あいましたので、たまたま持病のリューマチのことで先生にご相談したいこともありましたし、お願いして、その足でわたしの部屋へ寄っていただきました。

そのとき先生が、死んだかわいそうなメイドのメアリーのことを（これは内々の話だが、と前置きしたうえで）話題になさったんです。うわさの広まるのを支配人が嫌っているから、ここで話したことはあなたの胸だけにしまっておいてくれ、そうおっしゃるので、こちらももちろんそうは先生には申しあげませんでしたけど、じつは、ここ一時間ばかり、みんなのあいだではその話で持ち切り——実際、その気の毒な娘さんが息をひきとったその瞬間から、話は広まるいっぽうだったんです。

こういうことって、いくら隠しても、すぐに知れわたってしまうものでしてね。それぐらいのこと、人生経験を積んだ殿方なら、当然わきまえておいでのはずなんですけど、でもコールズ先生って、もともとそういうかたなんです——疑うことを知らず、何事も信じたいようにしか信じない、まあ単純な性格。でね、じつはそれなんですよ——そのすぐあとに、いたくわたしの警戒心をかきたてたのは。先生が立ち去りぎわにおっしゃったんです——サンダーズ氏から、ちょっと家内のようすを診てやってくれないかと頼まれた。どうもこのところ気分がすぐれないと言ってる——消化不良じゃあるまいか、うんぬん。

ところがね、まさにその当日、わたしはグラディス・サンダーズ本人の口から聞かされてるんです——近ごろたいそう消化のぐあいがよくて、とてもありがたい、って。

おわかりでしょう？　サンダーズという男へのわたしの疑念、それが百倍にもなってぶりかえしてきました。彼はしきりに準備工作をしている——でも、なににたいしての準備？　わたしがコールズ先生にご相談しようかどうしようか迷っているうちに、先生は帰っておしまいになりました——もっとも、かりにご相談したとしても、実際には、なにをどうお話ししたらいいものか、困ったことでしょうけどね。

そのあと、部屋を出ますと、問題のその当人——サンダーズ——が、上の階から降りてくるのに出あいました。外出の身支度で、町へ行くところだが、なにか用はないか、とあらためて訊いてきます。失礼にならないように言葉をかわすだけで、わたしとしてはせいいっぱいでしたよ！　そのあとまっすぐラウンジへ行って、お茶を注文しました。それがちょうど五時半だったのを覚えています。

さて、このあと起こったことについては、とくに表現に気をつけて、明確にお話ししたいと思います。七時十五分前に、わたしはまだラウンジにいましたが、そこへサンダーズさんがはいってきました。ほかにふたりの殿方をお連れになっていて、三人が三人とも、だいぶご機嫌のごようす。サンダーズさんはふたりのお仲間をその場に残して、まっすぐわたしとミス・トロロープがすわっているところへ近づいてきました。家内へのクリスマス・プレゼントについて、アドバイスをいただけないかと言うのです。イブニング用のバッグなんだとか。

『みなさんご存じのように、わたしゃがさつな船乗りにすぎない。そんなしゃれた品物のよしあしなんて、わかるわけがありません。いちおう見せてもらって、気に入ったら買うという条件で、三つ届けさせたんですが、ここでぜひご婦人がたから、ご婦人がたなりの専門的ご意見をお聞かせ願いたい、そう思いましてね』

もちろん、喜んで協力させていただきますよ、わたしたちがそう答えますと、彼、それならぜひ階上の自分の部屋までおつきあい願えないかと言います。ここへ品物を持ってきてもいいんだが、いつ家内が外出先からもどってくるかしれない。だから、なんとか上の階までご足労願えないものか、と。そんなわけでわたしたち、彼に案内されて上の階へ向かいました。そのあとに起きたことは、この先一生、忘れることなどできますまいね――思いだすと、いまでもなにやら小指がずきずきしてくるくらいです。サンダーズさんが寝室のドアをあけ、明かりのスイッチを入れました。わたしたちのうちのだれが真っ先にそれに気づいたのか、いまもって思いだせません――

サンダーズさんの奥さんが、うつぶせに床に倒れて――死んでいました。

わたしがいちばん先にそばへ行きました。ひざまずいて、手をとり、脈を見ましたけど、でも無駄でしたね。腕そのものが冷えきって、硬直していました。頭のすぐそばに、ストッキングに砂を詰めたものがころがっていて――それで一撃されたんでしょう。ミス・トロロープは駄目なひとで、入り口で立ちすくんだきり、頭をかかえてうめくばかり。

ではサンダーズはどうかというと、こちらは『ワイフが！　ワイフが！』と叫ぶなり、遺体に駆け寄ろうとしましたけど、わたしが制止して、手を触れさせませんでした。おわかりでしょうけど、もうそのときには、これが彼の仕業だと確信してましたから、ひょっとするとなにかをその場から持ち去るか、隠そうとするんじゃないか、そう思ったわけです。

『いっさい手を触れちゃいけません』わたしは申しました。『さあ、しっかりしてください、サンダーズさん。それからミス・トロロープ、あなたはどうか下へ行って、支配人を呼んできてくださいな』

わたし自身はその場に残って、遺体のそばにひざまずいていました。サンダーズを奥さんとだけ、ここに置いておくつもりはありませんでしたから。それにしても、もし彼が演技しているんだったら、その演技力には感服せざるを得ませんでしたね。一見、途方に暮れて、そのうえすっかりおびえきって、呆然と立ちつくしているようにしか見えませんでしたから。

まもなく支配人が駆けつけてきました。彼はすばやく室内を点検すると、わたしたちみんなを部屋から追いだし、錠をおろして、キーは自分のポケットにしまいました。それから、警察に電話しにいったんですけど、そのあと、実際に警察が到着するまでには、なにやら一世紀もかかったような気がします（あとでわかったことですけど、あいにく電話が故障していたんだとか)。それで支配人はやむなく署まで使いを出したんですけど、なにしろそのハイドロ、市内からはずいぶん離れていて、荒れ地(ムーア)との境界近くにあったものですからね。

おまけに、例のミセス・カーペンターがまた、わたしたちみんなの神経を逆なでしてくれる。ほとほとまいりましたよ。〝二度あることは三度ある〟と言った自分のあの予言、あれがさっそく実現したというので、まさに大はしゃぎでしたっけ。サンダーズのほうは、聞いた話ですが、ひとりふらふらとハイドロの運動場まで出ていって、頭をかかえたり、うめいたり、ありとあらゆる悲嘆のさまを見せつけていたそうです。

それでも、とかくするうち、やっと警察がやってきました。支配人と、サンダーズさんとを連れて、上へあがっていきましたが、しばらくすると、わたしを呼びにきました。行ってみますと、係の警部さんがいて、テーブルにむかってなにか書き物をしています。知的な風貌のひとで、わたしも好感を持ちました。

『ミス・ジェーン・マープルですね?』そう言います。

『ええ』

『聞くところによると、遺体が発見されたとき、その場にいらしたそうですね?』

わたしはそれを肯定したうえで、そのとき起きたことを正確に説明して聞かせました。思うに、その警部さん、理路整然と事情を説明できる人物にようやく出あえて、ほっとしてたようです。それまでサンダーズやらエミリー・トロロープやらを相手に、さぞかし手こずったことでしょう――とくにミス・トロロープなんか、おろおろするばかりで、なにひとつ役に立たない、しようもないおばかさん！　むかし、母が教えてくれたことを思いだしますよ――淑女たるもの、私的な場でどれだけ取り乱そうと、おおやけの場では、毅然とおのれを持していなくてはいけない、と」

「傾聴すべき処世訓ですな」サー・ヘンリーが重々しく相槌を打った。

「わたしが説明しおえると、警部さんは言いました――

『ありがとうございました、マダム。そこでもうひとつお願いがあります。気は進まないでしょうが、もう一度、遺体を見ていただきたい。横たわっている位置とか、姿勢とか、はじめに部屋にはいられたときと、まったくおなじですか？　どこも動かされたような痕跡はありませんね？』

　じつはサンダーズさんが遺体に手を触れようとするのを、このわたしが制止したのだ、そう説明したところ、警部さんは、わが意を得たというようにうなずきました。

『あのかたは、かなり動転しておられるようですね』そう言います。

『そのように見えますわね――たしかに』わたしは答えました。

〝のように見える〟というところに、とくに力点を置いたつもりはなかったんですけど、聞いた警部さんは、こころもち鋭い目でわたしを見ました。

『そうすると、遺体は発見当時そのまま、どこも変わっていないと見てよいのですな?』

そう言います。

『ええ。一カ所だけ、帽子の位置を除いては』わたしは答えました。

警部さんはきっとなって目をあげました。

『どういう意味です――帽子の位置とは?』

そこで説明してあげたんです――はじめ帽子はグラディスの頭にかぶさっていたのに、いま見ると、そばの床に置いてある、って。もちろん、そこに置いたのは、警察のしたことだとわたしは思ってたんですけど、あにはからんや警部さんは、それを強く否定しました。これまでのところ、なにひとつ動かしてはいないし、手を触れてもいない、と。そのあとも彼は、しばらく当惑げに眉をひそめたまま、うつぶせになった無残な遺体を見おろしていました。グラディスは外出着をまとっています――かさばった臙脂色のツイードのコートで、襟にグレイの毛皮がついたもの。帽子は安物の赤いフェルトで、これは頭のすぐ脇に置かれています。

そのまま数分間、警部さんは眉間に皺を寄せて思案にふけりながら、黙って立ちつくしていましたが、やがて、ふとなにかに思いあたったように、言いました――

『つかぬことをうかがいますが、マダム、遺体の耳にイヤリングがあったかどうか、ひょっとしてご記憶ではありませんか? でなければ、故人が普段からイヤリングをつける習慣だったかどうか』
　さて、ここでわたしの日ごろからの習慣がものをいいました――何事も仔細に観察するという習慣です。ちゃんと覚えていましたよ、帽子のつばのすぐ下に、きらっと光る真珠が見えたのを――もっともそのときは、とくにそれに注目したわけでもないんですが。ですから、警部さんのその質問には、はっきりと肯定のお返事ができたわけです。『なるほど、それで問題はかたづきますな。じつは、被害者の宝石入れが荒らされていたんです――と言っても、もともとさほどの値打ちものはなかったようなんですが――おまけに指から指輪まで抜きとられている。つまり、犯人はイヤリングを奪っていくのを忘れて、犯行が発覚したあと、また舞いもどってきたんです。なんともはや、度胸の据わったやつだ！　でなくば、ことによると、ことによると――』そう言いながら室内を見まわして、ゆっくりとつけたします。『ことによると、ずっとこの部屋に隠れていたのかもしれない――最初からずっと』
　でもわたしは、この考えには賛同できませんでした。説明しましたよ――このわたし自身、まずベッドの下をのぞいてみたんだ、って。それに、支配人も衣裳簞笥の戸をあけてみてましたしね。ほかにには、人間の隠れられそうなところはありません。たしかに、衣裳簞笥のなかに組みこまれている帽子入れの戸棚、そこには鍵がかかっていましたけど、それは棚が何段もある浅いもので、とうていひとが隠れられるような造りじゃない。

こうしたことをわたしが話しているあいだ、警部さんはゆっくりうなずきながら聞いていました。

『わかりました、それについてはマダム、あなたの言われることを信ずるとしましょう。しかしそうなると、いまも言ったように、犯人は事後にまた舞いもどってきたはずだということになる。じつに大胆不敵なやつですよ』

『でも、支配人はドアに鍵をかけたうえ、キーは自分で持っていったんですよ！』

『そんなのは、べつに障害でもなんでもない。バルコニーもあるし、非常階段もある――泥棒はそこから侵入したんです。おそらくはね、やつの仕事のさいちゅうを、よりにもよってあなたがたが邪魔したんです。彼はあわてて窓から忍びでる。そしてあなたがたがみんないなくなってしまってから、また忍びこんで、仕事のつづきにとりかかったと、そういうわけです』

『それ、確かなんですか？　ほんとうに泥棒の仕業だとお思いなんですか？』わたしは反論しました。

するとと警部さん、にこりともせずに言いかえしてきました――

『ともあれ、そう見えるのは事実でしょう？　ちがいますか？』

でもね、そう言う彼の口調に含まれたなにか、それがわたしを満足させました。このひとなら、妻に先だたれた夫というサンダーズさんのお芝居、彼の演じてみせる愁嘆場、それをあまり真剣に受け取りはしないだろう、そう思えましたから。

おわかりでしょう？　このさい正直に認めてしまいますよ。そのときのわたしは、われらが隣国フランスのひとたちなら、〝固定観念（イデ・フィクス）〟と呼ぶだろう考え、それに完全に支配されてたんです。わたしはその男、サンダーズが、奥さんを殺そうとしているのを知っていた。でも、そのときわたしが考慮に入れていなかったのは、あの奇妙で、かつ謎めいたしろもの――〝偶然の暗合〟というものだったんです。

サンダーズさんにたいするわたしの見かたと申せば――これははっきり言いますけど――完全に正しかったし、事実でもありました。あの男は下劣な悪党です。あの男の見せたこれみよがしな悲嘆の演技、あれにもわたしは一瞬たりともだまされはしなかった。なのに、です――なのに、ですよ――遺体が発見されたときの彼の驚愕ぶり、茫然自失といったありさま、それらは驚くほど本物らしく感じられたんです。どこからどこまで完全に自然な感情の発露というふうに――おわかりになるでしょうか。

いまだからこそ認めますけれど、そのとき警部さんと話しあって以来、なにやら奇妙な疑念が心に忍び寄ってきたんです。かりにサンダーズがこの忌（い）まわしい凶行を働いたのが事実だとしても、なにゆえ事後にわざわざ非常階段経由で現場に舞いもどり、奥さんの耳からイヤリングをはずして持ち去る必要があったのか、どう考えても、妥当な理由が思いつけませんでしたから。そんなことをするなんて、そもそも賢明じゃありませんよね。そしてサンダーズというのは、おそろしく利口な、抜け目のない男なんです――わたしが終始あの男をひどく危険視していたというのも、まさにそれだからなんですよ」

ミス・マープルはここであらためて一同を見まわした。

「おわかりでしょうか、わたしがなにを言おうとしているか。要するにこれ、この世のなかではちょくちょくあること、いわゆる〝予期せぬ出来事〟なんです。わたしの場合、自分の見かたにあまりにも自信を持ちすぎていた。それで目が曇らされていたみたい。ですから、結果はたいそうなショックでしたよ。なぜって、そこで疑う余地もなく証明されてしまったんですから――つまり、サンダーズさんが、この犯罪を実行することは、不可能だったはずだと――」

驚きのあえぎが発せられたのは、バントリー夫人の口からだった。ミス・マープルは彼女のほうへ向きなおった。

「ええ、わかりますよ、奥様――こんな結末、さっき話が始まったときには、とても予想もつかなかったでしょうからね。わたし自身、思いもよらない結果でした。でも、事実は事実、否定はできません。そして自分がまちがっていたことがはっきり証拠だてられれば、そのときは謙虚になって、またやりなおせばいいんです。サンダーズさんが心情的には殺人者にほかならないということ、このことだけははっきりわかっていました

――そしてそれ以来、この確たる信念を揺るがすようなことは、なにひとつ起こっていません。

というところで、じゃあ実際にはなにがあったのか、そろそろそれをお聞きになりたいでしょうね。サンダーズの奥さんは、ご承知のとおり、その午後はお友達のモーティマーさんのお宅で、ブリッジをして過ごしました。そのお宅を出たのが、六時十五分ごろ。そこからハイドロまでは、歩いて十五分ほど――急げばもっと早く着きますから、どっちにしても六時半ごろには、帰ってきていたはずです。

帰ってきた姿はだれも見ていませんから、きっと横手の入り口からはいったんでしょう。そしてそのままあわただしく自室へあがっていった。着替えをして（ブリッジ・パーティーに着ていった、淡黄褐色の上着とスカートとは、戸棚のなかにかけてありました）、そのあと明らかにまた外出するつもりで、その支度をしているところへ、打撃が襲ってきた。だれにやられたのか、本人はまるきりわからずじまいだった可能性が強い、そう聞かされています。実際、わたしもつくづく思い知りましたが、砂袋って、おそろしく効率的な凶器なんですね。犯人はどうやらそれ以前から、部屋のなかに隠れていたようです――おそらくは、大きな姿見つきの衣裳簞笥のなか――つまり、彼女があけなかったほうの戸棚に。

さて、ここからは、サンダーズさんのほうの動きになります。さっき申しあげたように、彼が外出したのは、五時半ごろ――もしくは、もうちょっとあと。二、三の買い物をして、そのあと六時ごろ、〈グランド・スパ・ホテル〉へ向かい、そこでお仲間ふたりと出あった――そう、のちにハイドロへ連れてきた、あのおなじふたりです。ビリヤードをしたり、バーでウイスキーソーダをかなり聞こし召したりしたようですが、要するにそのお仲間ふたり（ヒッチコックとスペンダーという名だそうです）――そのふたりは事実上、六時からあとはずっとサンダーズと行動をともにしていた。ハイドロへも、三人連れだって歩いて帰ってき、彼がラウンジにいたわたしとミス・トロロープのところへやってきたとき、はじめて彼とは別行動になった。それが、さっきもお話ししたように、七時十五分前ごろ――そしてその時刻には、サンダーズの奥さんは、すでに亡くなっていたということになります。

わたしがそのサンダーズさんのお仲間ふたりとじかに話してみたということ、これは申しあげておくべきでしょうね。あいにく、好意は持てないひとたちでした。感じもよくないし、挙措動作も紳士的とは言えない。それでも、あるひとつの点だけは確かでした。サンダーズはその晩ずっと自分たちといっしょだったと言ったとき、その言葉にまったく嘘はなかったということです。

ここでもうひとつ、ごく些細なことですが、浮上してきた事実がありました。モーティマー家でブリッジをしているさいちゅうに、サンダーズの奥さんに電話がかかってきたというのです。リトルワースさんとかいう男性からでしたが、その電話のあと、奥さんはなにやらそわそわして、喜びを隠せないようすだった――そしてそのせいかどうか、ブリッジでもひとつふたつ、とんでもないへまをやらかして、あげくに、予定よりもだいぶ早く引き揚げていったというんです。

　リトルワースという名に心あたりがあるかどうかと訊かれたサンダーズさんは、そんな名の人間、聞いたこともないと断言したそうです。それはわたしにも、奥さんの態度からじゅうぶん裏づけられると思えましたね――奥さんもやはり、電話の主のリトルワースという名には、心あたりなどなさそうだったと聞いてますから。でも、それでいて、電話を終えてもどってきたとき、奥さんは頬を紅潮させて、にこにこしていたということで、それやこれやを考えあわせると、電話の主がかりにだれだったにせよ、彼は本名を名乗らなかったし、また名乗らなかったこと自体、いかがわしく、疑わしく思えてくるわけです。そうでしょう?

　でまあ、とにかく、問題として残ったのは、まさにその点なのです。泥棒侵入説――これはまず考えられません。では、もうひとつの説――サンダーズの奥さんがあらためて外出して、だれかと会おうとしていたという説は? ひょっとして、そのだれかが非常階段を利用して彼女の部屋までやってきた? そこでふたりのあいだに諍(いさか)いが起きた? でなきゃ、男が彼女を裏切って、危害を加えた?」

ミス・マープルはここで口をつぐんだ。

「で？」サー・ヘンリーが言った。「結局のところ、どの答えが正しいんです？」

「どなたかあてててくださらないかしら、そう思ってたんですけどね」

「あたくしはそういう推理、てんで苦手ですから」と、バントリー夫人。「サンダーズにそんなに申し分のないアリバイがあるなんて、それがちょっと残念ですけれど、それでもミス・マープル、あなたがそのアリバイに満足しておいでなのなら、それでまあ、問題はないと考えるべきでしょうね」

ここでジェーン・ヘリアがその美しい頭をちょっと動かして、ある質問を発した。

「それにしても、なんでその帽子入れに鍵がかかっていたんですか？」

「いいところに目をつけられましたね」ミス・マープルはにっこりして言った。「じつをいうと、わたし自身もそれ、不思議に思ったんです。もっとも、答えはいたって単純なものでしたけど。刺繍したスリッパと、何枚かのハンカチが入れてあったんです。亡くなった奥さんが、ご主人へのクリスマスの贈り物用に、せっせと刺繍していたもの。だからこそ、ご主人に見つからないよう、戸棚に鍵をかけていたんです。キーは奥さんのハンドバッグのなかにありました」

「あらまあ！」と、ジェーン。「それじゃぜんぜんおもしろくないじゃない！」

「あらまあ！　じつはそれだからこそおもしろいんですよ」と、ミス・マープル。「実際問題として、ほんとうにおもしろいのは、まさにその点でしてね――だって、それこそが殺人者の目論見を完全にわやにしてしまったものなんですから」

だれもがそう言う老婦人を目を据えて見つめた。

「わたしも二日間、考えあぐねて、やっと読めたんですけどね」と、ミス・マープル。「それはもう、考えに考えて、考えぬきました。そしてそのあげくに、とつぜんいっさい合財がまざまざと見てとれたんです。で、その足で警部さんのところへ行って、あることをためしてみてほしいと頼みました。警部さんはすぐにためしてくれました」

「それはまた――いったいなにをためすように頼んだんです？」

「遺体のそばにあった帽子、あれが奥さんの頭に合うかどうか、ためしにかぶせてみてほしいって、そう頼んだんです――そして言うまでもなく、帽子は合いませんでした。どうしても頭にかぶせられなかったんです。つまり、帽子は奥さんの帽子ではなかった、と」

バントリー夫人がまじまじと目をみはった。

「でもそれ、はじめはかぶっていたんでしょ？」

「奥さんの頭じゃないんです、かぶっていたのは――」

ここでミス・マープルはいったん口をつぐみ、いまの言葉が全員の頭に浸透するまで待ったうえで、あらためてつづけた――

「みんな頭から決めてかかっていたんです――横たわっているのは気の毒なグラディスの遺体だと。でもだれひとり、顔を確かめようとはしなかった。ご記憶でしょうけど、遺体はうつぶせでしたからね。しかも、帽子がすべてをおおいかくしていた」

「でもその奥さん、たしかに殺されたんでしょう?」

「ええ、たしかに。でも、もっとあとで。みんなが大あわてで警察に電話しにいったりなにかしているときには、グラディス・サンダーズは、まだ生きていて、ぴんぴんしてたんです」

「じゃあ、ほかのだれかがそのひとになりすましていたと? でも、たしかおっしゃいましたよね、遺体の手をとって、脈を確かめたって?」

「ええ、それはたしかに死体の手でした――まちがいなく」ミス・マープルは重々しく言ってのけた。

「しかし、そいつはばかげている」バントリー大佐がいきまいた。「死体なんて、そう右から左へ調達できるものじゃなかろう。だいいち、最初に見つけた死体、そっちはその後どうなったんだ?」

「もとの場所にもどしたんですよ」と、ミス・マープル。「それがこのたくらみの悪辣(あくらつ)なところです――悪辣で、そのうえ、おそろしく巧妙。たぶん、わたしたちが応接室で話していたことを小耳にはさんで、それで思いついたんでしょうね、この悪巧みを。

遺体はね、メアリーのものだったんです――かわいそうな、あのメイドの。ちょうどお誂え向き、これを利用しない手はありません。サンダーズ夫婦の部屋が、使用人部屋にかこまれてたってこと、申しあげましたよね？　メアリーの居室は、廊下の先の、たった二部屋だけ離れたところ。葬儀屋は暗くなってからでないと、きません――サンダーズはそれも計算に入れてたんです。バルコニーづたいに、遺体を運んできて（五時にはもう暗くなりますからね）、奥さんの服を着せ、その上にかさばった赤いコートも着せた。それから、さて、帽子入れの戸棚へ行ったところ、なんと鍵がかかっている！こうなると、できることはひとつしかありません――かわいそうなメアリーの部屋へとってかえして、メアリー本人の帽子を持ってくる。だれもそんなところにまで気がつくはずはありません。仕上げに砂袋をそばに置く。そして自分はアリバイをつくりに出かけた、と。

出先から、奥さんに電話します――リトルワース氏と名乗ってね。彼女になにを話したか、そこまではわかりません――とにかく彼女は信じやすいたちでしたから、前にもお話ししたように。言葉巧みに説いて、早めにブリッジ・パーティーから引き揚げさせ、そのままハイドロへはもどらずに、七時にハイドロの運動場の、非常階段の近くで落ちあうという段どりをのみこませた。さだめし、おまえにちょっとしたサプライズが用意してあるんだ、とでも言ったことでしょう。

お仲間ふたりを連れて、ハイドロにもどると、うまいことミス・トロロープとわたしを誘いだし、自分といっしょに現場を発見させるように仕向けた。実際に遺体を仰向けにしようとすらしたんですよ——それを制止したのが、あろうことか、このわたしだったとはね！　やがて警察が呼びにやられると、自分はひとり蹌踉（そうろう）と運動場へ出ていきます。

　事件が起きたあとの彼のアリバイなんて、だれも問いただそうとはしませんよね。彼は奥さんと落ちあって、非常階段経由で部屋にはいります。そこにある遺体については、あらかじめなにか、ていのいい作り話でも聞かせておいたんでしょう。奥さんがそれをのぞきこんだところを狙いすまして、砂袋で一撃。

　……やれやれ、いやですねえ！　思いだすたびに、ぞっとしますよ、いまでも！　それでまあとにかく、あとは手ばやく奥さんの上着とスカートを脱がすと、戸棚のなかにつるす。ついで、もうひとつの遺体から、さいぜん着せた服を脱がせて、奥さんに着せ替える。

　ところがね、帽子だけはそれができなかったんです。メアリーは、髪を刈り上げにしていました——かたや、グラディス・サンダーズは、これも前に話しましたけど、多めの髪を後ろで束ねていた。どうやってもメアリーの帽子をかぶせるのは無理だとなって、やむをえず、だれもそんな細かなことには気づかずにいてくれることをあてにして、そばの床に放置した。そのうえで、あらためてメアリーの遺体を本人の部屋に運びこみ、もとどおり安置しなおしたという次第です」

「それはちょっと信じられない気がしますな」そう言ったのはロイド博士だった。「いちかばちかの大博奕（おおばくち）じゃありませんか。ことによると、警察がもっと早くきていたかもしれない」

「電話が故障していたってこと、お忘れですか？」ミス・マープルは反駁（はんばく）した。「じつはそれも当人の小細工だったんですよ。警察に早々と到着されるのだけは、なんとしても避けなきゃなりませんからね。それに、実際にやってきてからも、警察はしばらく支配人の部屋での聴取に手間どり、それからやっと現場の部屋へあがっていったんです。それが、あるいは弱点といえば、最大の弱点だったかもしれません——二時間前には絶命していたはずの死体と、じつはつい三十分ばかり前に絶命したばかりの遺体と、このふたつのちがいに、ことによるとだれかが気づくかもしれない。ただ、その点についても、彼は高をくくっていた——最初に遺体を発見することになるはずのものたちに、そうした専門的な知識などあるはずがない、って」

　今度はロイド博士もうなずいた。

「犯行が行なわれたのは、おおむね七時十五分前かそこら——そんなふうに想定されたでしょうね。実際には、七時ちょうどか、その二、三分過ぎだったわけですが。警察医による検視が行なわれるのは、早くても七時半かそれ以後になったでしょうから、確かなことがわからなくても当然です」

「じつはね、わたしこそそれに気づいていなきゃいけなかったんですよ」ミス・マープルは言った。「遺体の手に触れてみましたし、そのときはそれ、氷のように冷たかったんです。ところが、しばらくあとで警部さんと話したとき、警部さん、犯行はまるで自分の到着する直前に起きたこと、みたいな言いかたをなさった——だというのに、わたしとしたことが、まるきりなにも見えていなかったなんて！」

「いやいや、ミス・マープル、あなたは多くのものを見ておられると思いますよ」サー・ヘンリーが言った。「いずれにしてもその事件、わたしの現役時代より前のことですな。とんと覚えがありませんから。で、その後どうなったんです？」

「サンダーズは絞首刑になりました」ミス・マープルは感情をまじえずに言った。「それでよかったと思っています。あの男を司直の手にゆだねるために一役買ったこと、それを後悔したことは、かたときたりともありません。当節、人道的見地からか、犯罪者に極刑を科すことをためらう風潮が強いようですけど、わたしはそれには与（くみ）しませんね」

ここで、きびしかったその表情が、ふとやわらいだ。

「もっとも、あの気の毒な奥さんの命をとうとう助けてあげられなかったこと、それについては、これまでにも何度となく悔恨の念に苦しめられてきました。ただね、そうは言っても、こんな年寄りが一足飛びにとびついた結論になんか、いったいだれが耳を傾けてくれるでしょうか。はてさて――どう考えたらいいものやら。

ひょっとして、考えようによっては、あの奥さん当人には、それがいちばんよかったのかもしれません。いままでのしあわせな暮らしがある日がらがらとくずれさり、世のなかがとつぜんおぞましいものに変貌してしまう。そんななかで、不幸と幻滅のうちに生きながらえるのにくらべれば、ああしてしあわせなままで死んでいったほうが、まだしもましだったかも。なにしろ、あの悪党に首ったけでしたからね。心の底から信頼しきって、あの男の正体を見抜くことなど、ついぞなかったんです」

「そうよね、それならきっと」と、ジェーン・ヘリアが言った。「それでよかったんだわ。だいじょうぶ、それでよかったのよ。あたしだって――」そこまで言って、声を詰まらせる。

ミス・マープルは、その有名な美人女優、女優としても成功しているジェーン・ヘリアを見やって、やさしくうなずいた。

「ええ、わかりますよ、あなた」と、このうえなくやさしい口調で言う。「ええ、よくわかります」

児童聖歌隊員の証言

ジョルジュ・シムノン
新庄嘉章訳

ジョルジュ・シムノン
一九〇三―一九八九。ベルギー生まれ。フランスの作家。十八歳の時に「めがね橋」でデビュー。八十四篇の「メグレ警視」シリーズの他に三百点を超える作品を残し、世界各国で翻訳されている。

新庄嘉章（しんじょう・よしあきら）
一九〇四―一九九七。仏文学者。ロラン『ジャン・クリストフ』、ジッド『狭き門』など翻訳多数。

Georges Simenon: Le Témoignage de l'Enfant de Chœur, 1946

第一章　六時のミサを知らせる二つの鐘

降っている細かな雨は冷たかった。あたりは真暗だった。五時半にラッパの音が聞えると、水飼い場へ連れて行かれる馬のざわめきが伝わってくるその通りのはずれ、兵営の方角にだけ、四角な窓ガラスにぼんやり明りがともっていた。こんな早い時刻に起きた人がいたのか、それとも夜通し眠れない病人がいたのかも知れない。

通りの他の所は寝静まっていた。静かで幅の広いその通りはできたばかりで、地方のたいていの大きな町の郊外にみかけられる二階建か、せいぜい三階建の、どれもこれも似たりよったりの家並みだった。

この界隈一帯は新しくて、変りばえもしなかった。サラリーマン、行商人、ささやかな恩給生活者、平和な寡婦(かふ)といった物静かで質素な人達が住んでいた。

メグレは、外套の襟を立てて、男子校の正門の片隅にぴたりと身を寄せ、時計を片手に、パイプをくゆらしながら待っていた。

ちょうど六時十五分まえに、彼が背を向けているその教区の教会で鐘が鳴った。少年がいったように、彼にはそれが六時のミサの《第一の鐘》だとわかった。

鐘の音が湿った空気の中でまだ響いているうちに、真向かいの家からいらだたしい音が聞えた。と、すぐ彼にはそれが目覚時計だとわかった。その音は数秒しかつづかなかった。もう子供の手が暗闇の中で、湿っぽいベッドからのびて、手探りで目覚時計の止めボタンをつかんだにちがいなかった。しばらくすると三階の屋根裏部屋の窓に明りがともった。

こうしたことは少年がいったのと寸分違わずに起った。少年は、まだ寝静まっている家の中で、最初にそっと起きた。今、彼は着物と靴下をさっと身につけて、顔も手も洗わないで、頭をとかしているにちがいなかった。靴のことは、彼ははっきりこういった。

「靴を下まで持って行って、父さんや母さんを起さないように、階段の一番下ではくんです」

ジュスタンが病院で六時のミサに給仕するようになってから、二年近くになるが、夏も冬も毎日同じようにしていた。

彼はまたこうもいったのだ。

「病院の大時計は教区のより、いつも三、四分遅れているんです」

警部はその証拠を得た。彼が二、三カ月来派遣している移動班の刑事連は、前日、《第一の鐘》だの《第二の鐘》だのというこうした細かな話に肩をそびやかしたのだ。

　メグレが笑わなかったのは、彼も長い間児童聖歌隊員だったからだろうか？

　まず六時十五分まえに教区の鐘の音がし、次に目覚時計が少年の寝ている屋根裏部屋で鳴ってから、しばらくの間があって、修道院の鐘を思わせる、きゃしゃな銀のように響く病院の礼拝堂の鐘の音がしたわけだ。

　メグレはいつも手に懐中時計を持っていた。少年は着物を着るのにほとんど四分とはかからなかった。明りが消えた。彼は、いつも両親を起さないように、手探りで階段を下りると、一番下の踏段に腰かけて靴をはき、廊下の右手にある竹製の衣裳掛から自分の外套と帽子をはずすのだった。

　戸が開いた。少年はそっとその戸を閉めると、心配そうに通りの両側をみつめて、近づいて来る警部の黒々とした影をみつけた。

「いらっしゃらないのかと心配してたんです」

　こういって彼は足早やに歩き出した。ブロンドの瘦せた十二歳の子供で、年のわりにしっかりしていた。

「いつもと同じようにすればいいんですね？　僕はいつだって早く歩くんです。だって、初めに何分かかるか計ったんですし、それに冬は真暗だからこわいんですもの。月によっては今頃夜が明けますよ」

彼は最初の通りを右へ曲った。まだ静かで、幅がずっと狭いその通りは、楡(にれ)の植わった円形広場に通じていた。その広場を電車線路がいくつも対角線状に横切っていた。

メグレは極くささいなことに注意していた。それが彼に子供のころを想い起させるのだった。まず少年が家づたいには歩かなかったことだ。もちろんどこかの戸の蔭から人がぬっと頭を出すのをみるのがこわいためだった。次に広場を横切ろうとして、同じようにて樹木をさけたことだ。木の幹のうしろに人が隠れることもできるはずだったからだ。

しかし大体のところ彼は勇敢だった。なぜならまるまるふた冬の間、ときには濃霧の中を、あるいは月のない、ほとんど真暗闇の中を、毎朝、たった一人で同じ道を突走ったからだった。

「サント・カトリーヌ通りの真中に着くと、この教区の教会でミサを知らせる二つ目の鐘が聞えてきます……」

「何時に始発の電車は通るのだね？」

「六時です。でも、僕は二度か三度しかみたことがないんです、遅刻したときに……。一度は目覚しが鳴らなかったんです……。もう一度は僕がまた眠ってしまったからなんです。そんなことがあったので、目覚しが鳴ると直ぐに僕はベッドから飛び降りるんです」

湿っぽい闇の中に蒼ざめた小さな顔が浮び上がっていた。その目にはまだいくらか眠気がこびりついていて、ただ少しばかり心配そうに考え込んだ表情をしていた。

「僕はミサのお給仕を続けられないでしょう……、今日来るようにってあなたがしつこくおっしゃったんですもの……」

二人はサント・カトリーヌ通りを左へ曲った。この界隈の他の通りと同じように、そこには五十メートルおきに街灯がついていた。その光りが落ちたところが水溜りのようにみえた。少年は安心できるところを通るときより、こうした光り溜りの間では、知らず知らず足早やに歩いていた。

あいかわらず、兵営の方から遠いざわめきが聞えていた。二、三の窓に明りがともっていた。人がどこかの通りを歩いていた。きっと労働者が仕事に出かけて行ったのだ。

「通りの曲り角へ行ったとき、なにも見なかったかね？」

これは最も微妙な点だった。なぜならサント・カトリーヌ通りはまっすぐで、人気がなく、それに沿って一直線に引かれた歩道があり、街灯はきちんと立てられてあるから、その間に影ができるはずはなかった。たとい百メートルはなれていたとしても、喧嘩している二人の男が認められないはずはなかったのだ。

「まえの方を見ていなかったのかも知れません……。覚えています、僕はひとり言をいっていたんです……。朝、道を歩いているとき、小声でひとり言をいっていることがよくあるんです……。家へ帰る途中、僕は母さんにおねだりがしたかったんです。それで母さんにいうことをなんども繰り返していたんです……」

「お母さんになにをおねだりしたかったの？」

「ずっとまえから、自転車がほしかったんです……。僕はミサのお給仕でもう三百フランためたんです」

思いすごしだったのか？　メグレには少年が家並みからずっと遠ざかっていくようにみえた。そのうえ少年は歩道を降りた。もう少し先でまた歩道にあがろうというわけだった。

「ここです……。ほら……、あれが教区で鳴る二つ目の鐘です……」

メグレは、滑稽な気にもならないで、毎朝、その少年のものであるこの世界につとめてなじもうとしていた。

「僕はまた顔を上げたにちがいありません……、まえをみないで走っているときや、壁のまえにいるときのように……。確かにここんところです」

彼は歩道の上に暗闇を街灯の光から分けている境を指さした。街灯の光の中ではぬか雨が埃りのように光っていた。

「初めに男の人が長々と横になっているのを見たんです。とても大きく見えたので、歩道の幅いっぱいになっていると思ったくらいだったんです」

それはあり得ないことだった。なぜなら歩道は少くとも幅二メートル五十はあった。

「どうしたのかはっきりわからないんです……。飛びのいたのかしら。すぐには逃げ出さなかったんです。だってその人の胸にナイフが突き刺さっているのをみたんですもの。ナイフには大きな褐色の柄がついていました……。それに気がついたのもアンリ叔父さんがよく似たナイフを持っていて、鹿の角でできているんだって話してくれたことがあったからです……確かにその人は死んでいました……」

「どうして？」

「わからないけど……、死人みたいだったんです……」

「目は閉じていたかね？」

「目には気がつきませんでした……。今じゃわかりません……。でも、死んでいるって感じがしたんです……。こんなことはあっという間に起ったんです、昨日警部さんのお部屋でいったように……。昨日一日じゅう、なん度も同じことを繰り返しいわされたので、もう見当がつかなくなっちゃいました……。みんなが僕のことを信じてくれないんだ、と思ったときにはなおさら……」

「それでもう一人の男は？」

「僕が顔を上げたとき、もう少しはなれた所に人がいるのを見ました。五メートルぐらいのところだったかも知れません。とても澄んだ目をしていて、僕をちらりとみると走り出しました。人殺しだったんです……」

「どうしてそれがわかったのかね？」

「だって、いちもくさんに逃げて行ったんですもの」

「どの方向へ？」

「そこからまっすぐ……」

「というと兵営の方だね？」

「そうです……」

真実、まえの日にジュスタンは少くとも十回は訊かれていたのだ。メグレが署に着くまえに、刑事たちは遊びのように訊問しさえしたのだが、少年は極くささいなことさえただの一度もいい変えることはなかった。

「それからどうしたの？」

「僕も駆けだしたんです……。口ではなかなかいえませんけど……、逃げて行く人を見たときこわかったんだと思います……。それで力いっぱい走ったんです……」

「反対の方向に？」

「そうです……」

「助けを呼ぼうと考えなかった？」

「うん……、とてもこわかった……。足がきゅうにへなへなってなるのがこわかったんです。もう自分の足とは思えないみたいだったんです……。会議広場まで引き返したんです……。他の道を通りました。その道も病院にでるんですけれど、遠廻りなんです……」

「行こう」

鐘がまた鳴った。かぼそい音がする礼拝堂の鐘だった。五十メートル行くと、四つ辻に出た。左手は兵営の銃眼のある壁で、右手はかすかに光っている大きな建物の正面だった。その建物は大時計の青緑色の文字盤より高く聳えていた。

六時三分まえだった。

「一分遅い……。昨日はそれでも僕、遅れないで着いたんです、走ったからですよ……」

全体が樫でできた戸口に、重そうな槌がついていて、その槌を少年が持ち上げた。そのそうぞうしい音が玄関の中に響きかえった。門番が気軽に戸を開けに来て、ジュスタンを通したが、メグレが入ろうとすると、まえに立ち塞がって、うさんくさそうにみた。

「なんですな？」

「警察のものだ」

「名刺をお持ちかね？」

玄関を入るといかにも病院らしいにおいが鼻をついた。そして二つ目の戸口を通って、天幕の張ってある広い中庭に出た。その向こうの暗がりの中に、礼拝堂へ行く修道女たちの白い尼頭巾（コルネット）が目についた。

「どうして昨日は門番になにもいわなかったのだね？」

「わかんない……、早く行こうと気がせいていたんです……」

メグレはそうだろうと考えた。少年にとって安心できる所といったら、疑い深くて頑固な門番のいる受付口でもなければ、担架が物音もたてないで通るこの冷たい中庭でもなくて、聖器安置所だったからだ。それは修道女が祭壇の大ローソクに火を点じている礼拝堂の隣りだった。

要するに、両極の間を毎朝少年は目まいがするほど急いだのだが、その一方の極は目覚時計の音に彼が引き出される屋根裏部屋であり、もうひとつの極はただ鐘の音だけが活気を与える、いわばものさびしい礼拝堂なのだ。

「一緒に入るの？」

「そうだよ」

ジュスタンは困ったというよりは、気にさわったようだった。おそらく信心もないこの警部が自分の神聖な世界に入ろうと考えたことが気にさわったのだ。

するとメグレにはこのことからも、なぜ毎朝少年があんなに早い時刻に起きて、こわいのを我慢する気になるかわかるのだった。

礼拝堂は暖かでなごやかだった。灰色のそろいの服を着た病人たちが、頭に繃帯（ほうたい）をまいたり、腕を首から吊ったたり、あるいは松葉杖をついたりして、もう堂内の長椅子に並んでいた。

廊下にいる修道女たちは、皆同じ恰好をした羊が群れ集まっているように並んで、厳かな礼拝のうちに白い尼頭巾を一斉に下げるのだった。

「ついていらっしゃい」

数段のぼって、とっくにローソクに火が点じられた祭壇のそばを通らなければならなかった。右手には板壁の陰気な聖器安置所があって、非常に背の高い痩せ細った牧師が、司祭服と細いレースのある白衣を身にまとい、唱歌隊の少年を待っていた。また修道女はミサに使う酒水瓶に水と酒を注いでいた。

ジュスタンは、まえの日、熱い息をはずませ、両足をふらつかせて、ここへ来てやっとひと息入れたのだった。それから彼は叫んだのだ。

「サント・カトリーヌ通りで、たった今人が殺された……」と。

壁板にはめ込まれた小さな時計が正確に六時をさしていた。また鐘が鳴ったが、中では外ほどはっきり聞えなかった。ジュスタンは白衣を渡してくれる修道女にいった。

「警部さんです……」

そして少年が、歩きながら赤い法衣の襞を翻す礼拝堂の牧師の先導をして、祭壇の階段の方へ急いで行く間、メグレはそこに残っていた。

　堂守修道女は次のようにいったのだった。

「ジュスタンはとても信心深い良い子で、ついぞ私たちに嘘をついたこともございませんでした……。あの子は時たまミサのお給仕に来ないことがございました……。病気だったからということもできましたのに……まあ、それが違うんでございます……。あまり寒かったからとか、夜中こわい夢をみていたからとか、だるかったからとかの理由で起きる気がしなかったと正直に申すのでございました……」

　また司祭はミサの行を終えてやって来ると、ステンド・グラスに描かれた聖者のような澄んだ目で警部をみつめたのだった。

「どうしてあの子があのような作り話をしたとおきめになりたいのです？」

*

　今になって、メグレは、まえの日、病院の礼拝堂でどのようなことが起ったか分った。ジュスタンは歯をガチガチさせていたが、どうにもならなくなって、とうとう本当の神経の発作を起した。遅らせられないミサだった。堂守修道女が修道院長にことわって、少年の代りにミサの給仕をした。その間、少年は聖器安置所で手あつく介抱されていた。十分過ぎて、やっと上位修道女が警察に急を知らせることを考えついたのだった。礼拝堂を横切らなければならなかった。皆はなにかが起ったことを感じとっていた。

その所轄警察署の捜査主任にはなんのことだかのみこめなかった。

「何ですって?……上位修道女?……。何の上位?……」

そして、修道院で話されるように低い声で、サント・カトリーヌ通りに犯罪があって、なにもかも、殺人犯人は勿論のこと、被害者さえも警官が発見しなかったと繰り返された。

いつものように、まるでなにごとも起らなかったかのように、ジュスタンは八時半に学校へ行った。するとボクサーのような風体の、ゴロツキ然としたビヤ樽男のベソン刑事が教室で九時半に少年に会った。この時刻はまた巡邏班にその報告があった時だった。

子供はかわいそうだった! たっぷり二時間、パイプ煙草と煙突がつまってストーブの匂いがこもった警察署の薄暗い一室で、証人としてではなく、共犯者として訊問されたのだった。

ベソン、チベルジュ、ヴァランの三人の刑事が代る代る彼をおどし、すかして供述を変えさせようとしたのだった。

その上、母親が息子に従いてきていたのだ。彼女は控室にいて、目に涙を溜め、鼻汁を啜っては、皆にこう繰り返していた。

「私共は正直者で、今までに警察の御厄介になったことなど、ついぞ一度もありません」

　メグレは、ある麻薬事件に係っていて、前夜遅くまで仕事をしていたので、十一時頃になってやっと署の自分の部屋に現われたのだった。

「何うしたのかね？」と彼は、涙もこぼさないで、つっかかってくるような様子の、ひょろひょろした子供をみて訊いたのだった。

「目下、この餓鬼がわれわれをからかっている最中なんです……。通りで死体をみたといっていて、それに犯人がそばから逃げ出したといい張っているのです。ところが電車が四分後にその通りを通っていて、車掌は何もみていないのです……。あの通りは静かなのですが、誰もなんの音も聞いていないのです……。要するにどういう尼さんからか知りませんが、十五分して警察に報らせがあった時には、歩道には絶対に何もなかったし、わずかな血痕ひとつなかったのです……」

「さあ、ぼくの部屋へおいで」

　この日、メグレはジュスタンに最初は親しい口はきかなかった。最初彼は少年を想像力の強い子供とか、質のよくない腕白としてではなく、頑是ない男の子として取り扱った。

　彼はその話を簡単に、穏かに繰り返させて途中で口を挟みもしなければ、メモをとりもしなかった。

「病院のミサの給仕をつづけて行きますか？」

「いいえ、もうあそこへ行きたくありません。とてもこわいんです」

そうはいってもミサの給仕をやめることは大きな痛手だった。勿論少年は信心深かった。彼は礼拝堂のどこか神秘的で生き生きとした雰囲気の中で、確かにこの第一のミサの詩情をしみじみと味わっていたのだ。

その上、このミサは、彼がごくわずかな額だが、貯金ができるだけの金を払っていた。それにあれほど自転車が欲しかったのに、両親は買い与えてやれなかったのだ！

「明日の朝、もう一度、たった一回でいいんだけれど、そこへ行ってほしいんだよ」

「どうしてもあの道は通りたくないんです」

「一緒に行くよ……。あんたの家のまえで待っていよう。いつもと同じように正確にするんだよ……」

これが今迄の経過だった。メグレは午前七時にその通りの病院の戸口の所にたったひとりで立っていた。前日までは、電車か自動車で通る他は識りもしなかったところなのだ。

今は蒼黒い雲におおわれた空から冷たい小糠雨（こぬかあめ）が依然降っていて、とうとう警部の肩をびしょぬれにしてしまった。彼はくしゃみを二つした。二、三人の通行人が外套の襟を立て両手をポケットに突込んで、家づたいに歩いていた。肉屋や食料品店が店先のよろい戸を上げていた。

それはおそらくこんな風だろうと想像できる最もありふれた静かな通りだった。午前五時四十五分という時刻に、男が二人、たとえば二人の酔っぱらいが、サント・カトリーヌ通りの歩道でけんかをした、ということは万が一の場合には考えられることだった。また同様万が一の場合には、浮浪者とかどこかの不良少年とかが、懐中を狙って朝の通行人に襲いかかり、ナイフの一撃をくれることも認められはした。

しかしそれにはおまけがついていた。つまり少年にいわせると、殺人犯人は彼が近づくと逃げ出して、その時刻が六時五分まえだったことだ。

ところが、六時には始発の電車が通っていて、車掌は何も見かけなかったと断言していた。

彼は反対の方向を見ていたらしい。

だが、六時五分過ぎにパトロールを終えた二人の巡査が同じ歩道を通っていた。しかも二人はなにも見ていなかったのだ！

六時七分過ぎか六時八分過ぎに、ジュスタンが指差した地点から三軒先に住んでいる騎兵大尉が、いつもの朝と同じように兵営へ行こうとして自分の家を出ていた。

彼もまたなにも見ていなかったのだ！

最後に、六時二十分、自転車に乗った警官が所轄警察署から派遣されたが、被害者の痕跡すら発見されなかった。

その間に人が来て、死体を乗用車か小型トラックに乗せて行ったのだろうか？　と、メグレは落ち着いて、あわてずに、是非ともそうした、いくつかの仮定を残らずよく考えてみたが、そのうちのひとつを取り上げてみても、他の場合と同じように見当外れのものだった。その通りの四十二番地に病気の女がいた。その夫が夜どおしねずに彼女を看取っていたのだ。彼ははっきりこういった。

「私共には戸外の物音はみんな聞えます。私は家内よりもずっと物音には敏感なんですよ。あれは極く小さな物音にもえらく苦しんで、つらそうに顫えますが。そうそう……、家内がやっと寝入ったばかりの時、電車の音に家内が起きてしまいましたよ……。はっきり申しますと、午前七時まえには、どんな車も通らなかったのです……。最初通った車はごみ集めの車でした」

「その他の物音は何もお聞きになりませんでしたか？」

「人が走りました、いっとき……」

「電車の通るまえ？」

「そう、家内が眠っていましたから……。私は焜炉にコーヒーを掛けているところでした」

「走っていったのは一人？」

「まあどっちかと申しますと二人……」

「どの方角だったかおわかりになりませんか？」
「日除けが降りていまして……、それを上げると軋むので見なかったのです……」
これがジュスタンにとって有利なただ一人の証人だった。そこから二百メートルのところに橋がかかっていた。そこに立番中の巡査はどんな自動車が通るのも見ていなかった。

逃走したものの二、三分たつかたたないうちに、殺人犯人が人目をひかずに、誰にもわからないところへ被害者を肩にかついで運ぼうとして、舞いもどったと仮定しなければならなかったろうか？

さらに悪いことが重なっていた。少年の話をしたとき肩をすくめてみせた証人が一人いた。少年が指差した地点はちょうど六十一番地の真向かいだった。その家をチベルジュ刑事が前日訪れていたので、今度は、どんなことでも人まかせにはしておけないメグレがその家の呼鈴を押す番だった。

それは建ったばかりの家で、バラ色のレンガ造りだった。三段上ったところに入口があり、脂松のにす塗りのドアがついているところに郵便受の磨き立てた銅板が光っていた。

まだ午前七時十五分過ぎだったが、いってみれば警部だからこそこの時刻に人を訪ねられるというわけだった。

痩せて薄っぴげの生えた老婆がまず覗き窓を開けて、彼を沸し立てのコーヒーが匂う玄関へ通す前にこういうのだった。「判事様が御面会なさるかどうか、お訊きしてきましょう……」

なぜなら、その家には退職した治安判事が住んでいて、恩給をもらっているらしく、召使と二人きりで暮していたからだ。

普通なら客間になっているはずの前の部屋でひそひそ話すのが聞えた。それから老婆が出て来て意地悪そうにいった。

「お入り下さい……。どうぞ足をお拭きになって……、厩舎にいらっしゃるのではありませんよ」

それは客間ではないし、こんな部屋だろうと想像をめぐらせるたぐいのものではなかった。かなり広いその部屋は寝室にも、仕事部屋にも、書斎にも、また屋根裏部屋にさえも似かよっていた。というのはその部屋にはまったく思いもつかない物が積み重ねられていたからだ。

「あなたは死体を捜しに来られたのじゃな」冷笑するような声に警部はびくっとした。

ベッドがあったので、彼は自然にその方に目をやったが、誰もいなかった。声は煖炉の隅から聞えてきたのだ。そこに痩せた老人が肱掛椅子に深々と腰かけて、足のまわりに毛布をまいていた。

「外套をお脱ぎなさい。わしは暑いのが大好きでな。それに長居は無用じゃ」

それは本当だった。老人は手のとどくところに火挟みを置いていて、もえている薪の焔をなんとかして一番高くしようと苦心していた。

「わしの時代から、警察はいくらか進歩して、子供の証言に疑いを挟むことを学んだようだ。子供とか娘とかいうものは最も危険な証人なのじゃ。わしが判事だった頃には……」

部屋の温度はどうであれ、彼は厚い部屋着をまとっていた。その上彼はショールほども幅のあるスカーフを首に捲いていた。

「ときに、犯罪が行われたのはうちの真正面なのじゃね？……。わしの間違いでなければ、あなたは巡邏班の再編成をするためにこの町に派遣された、有名なメグレ警部じゃな……？」

彼の声はしゃがれていた。意地の悪い、すぐ人につっかかってくるもうれつな皮肉屋の老人だった。

「さて、警部殿、わしが犯人と共謀していると告発するのでなければ、すでに昨日、お宅の若い刑事にいった通り、残念ながらあなたが見当違いをしているとお教えしなければなりませんな。

勿論老人というものが睡眠を極くわずかしか必要としないことはあなたも知ってのこ

とじゃ……。一生をほとんど眠らずに通す人たちもいる……。たとえばエラスムスの場合であり、またヴォルテールなる名で著名な先生の場合じゃ」

彼の目は満足そうに書棚のあたりへいった。そこには書物が天井までも積み重ねられていた。

「多くの他の場合をあなたは更に知るよしもなかった……ようするにわしの場合じゃ。わしはこの十五年間、夜は三時間以上眠らなかったと自負している……。十年来、足がいうことをきかぬし、さらに歩いて行けるぐらいのところには如何なる好奇心もわかないので、昼も夜もこの部屋のなかで暮しているのじゃが、あなたがご承知くださったように、この部屋は通りに面している……。

午前四時からわしはこの椅子にいる。頭はさえていると信じてください……。昨日の朝、読みふけっていた本をお見せできるが、ギリシャのさる哲学者に関する本なので、あなたには興味のないことじゃろう。

とにかくあなたのいう、あまりに生き生きと想像力を働かせすぎる子供の話に類した事件がうちの窓下で起ったのであれば、それに気づいたはずだと断言できるのは事実だ……。足は弱ってきている。あなたに話したようにな……。しかし耳はまだ達者なものじゃ……。

要するに、わしは生まれつき格別詮索好きで、今もそうだから、通りで起ることをいちいち楽しみの種にしているわけじゃ。もしあなたに興味がおありなら、何時にこの界隈の主婦たちが買物に行こうとしてうちの窓のまえを通るか、あなたにいえるのじゃよ」

彼は勝ち誇った笑いを浮べて、メグレを見つめた。

「それではあなたはジュスタン少年がお宅のまえを通るのをいつも耳にしておられたわけですね？」と警部は福音書を読むような穏かな調子で訊ねた。

「さよう」

「耳にされて、ご覧になったのですか？」

「さあどうだか」

「一年の半ば以上、ほぼ三分の二ほどの間は午前六時に夜が明けます……。ところがあの子は冬と同様に夏も六時のミサに給仕していました」

「わしはあの子が通るのを見たことがある」

「始発電車と同様に、規則正しい毎日のことが問題となっていたのですから、あなたはそれに注意されていたはずです……」

「なにをいいたいのじゃね？」

「たとえばある街で、毎日同じ時刻に工場のサイレンが鳴ったり、誰かがお宅の窓のまえを振子のように規則正しく通ったりすれば、あなたがこうつぶやかれるのは全くもっともな話でしょう。

『ははあ！　何時だな』と。

それで、もしいつかサイレンが鳴らなかったりすると、あなたはこう気づかれるでしょう。

『そう、今日は日曜日だった……』と。

また人が通らなかったりすると、不審に思われるでしょう。『何か起きたのかな？……。病気なのかな？……』と」

判事は、メグレをなにか含むところがあるような、小さくて鋭い目でみつめていた。彼はメグレに何かを教えたそうな様子だった。

「そんなことは分り切った話だ……」と彼は脂気のない指を折りながらぶつぶついった。

「あなたが警察に入るまえに、わしは判事じゃった」

「聖歌隊の子供が通った時には……」

「わしは子供の足音は聞いていましたよ。このことをあなたがわしに認めさせようとしておいでならばね」

「それで、あの子が通らなかったとしましたら？」

「わしが気づくことも起り得ただろう。だが、それに気づかない場合も起り得ただろう。さきほどあなたが話していたサイレンにしても同様、サイレンが鳴らないといって、日曜日毎に驚きはせんのじゃ……」

「昨日は?」

メグレの思い違いだったのだろうか? 彼は、老判事が顰めたその顔の表情には、何か理解し難い残忍さが、またふてくされたものがあるような気がした。老人というものは子供のようにすねるものではないだろうか? また老人というものはよく子供っぽい片意地を張ることがあるのではないだろうか?

「昨日じゃと?」

「そうです、昨日は……」

何か決心する時を稼ぐためでないとしたら、なぜ質問を繰り返したのだろう?

「わしは何も気づかなかった」

「子供が通ったかも……」

「さよう……」

「子供が通らなかったかも……」

「さよう……」

二つのうちひとつは嘘をついているとメグレは確信していた。彼は是非試問をつづけたいと思ったので、それにかぶせてこう質問した。

「お宅の窓の下を人が走りませんでしたか?」

「いいや」

今度の『いいや』はずばりとしたもので、老人が嘘をついているとはみえなかった。

「如何なる異常な物音もお聞きになりませんでしたか?」

「いいや」

相変らず明瞭で、勝ち誇ったような『いいや』だった。

「足を踏みつける音も、人が倒れる響きも、ぜいぜいあえぐのもお聞きになりませんでしたか?」

「なんにもじゃ……」

「有難うございました」

「どういたしまして」

「司法官でいらっしゃったのですから、あなたが神に誓って陳述を繰り返そうとしていらっしゃるのかどうかは、あからさまにはお訊き致しません」

「何か御用の向きにはな……」

老人は、この言葉を愉快でじっとしてはいられない、といった調子でいうのだった。

「お邪魔致しました、判事殿」

「どうか捜査において立派な成功をおさめるように祈ります、警部殿」

老女中はずっと戸口のうしろに立っていたらしい。なぜなら彼女は、警部を送り出したあとで、戸を閉めるにはちょうどよい時に入口のところにいたからだ。

この時のメグレの気持は滑稽なものだったが、その間に現実の生活のなかへ再び足を踏み入れていた。つまりそれは主婦達が買物に行き始めたり、子供らが学校へ出かけるのが見かけられるこの郊外の静かな街だった。

彼には今煙にまかれたばかりだと思えたが、判事が、一度、誤ってした他は嘘をつかなかったと彼は判断したようだった。またある一瞬にはなにか非常に滑稽で微妙な、まったく思いがけないことを発見しそうだったという感じがした。それでその時にちょっと努力するだけで発見できたはずなのだが、それができなかったのだと思った。

彼は少年のことを考え直してみたし、老人のことを考え直してもみた。この二人の間になにかつながりがあるだろうと探していた。

彼は歩道の端に立って、パイプにゆっくり煙草を詰めた。彼はまだ朝飯をとってもいないし、寝起きのコーヒーも飲んでいなかった。そのうえ彼の濡れた外套は両肩にはりついていた。こうしたことから、彼は自分の家へ帰ろうと会議広場の角へ行って電車を待った。

第二章　メグレ夫人の煎薬と警部のパイプ

シーツと毛布が一斉に波のように盛り上がり、片腕がぬうっと突き出ると、枕の上に赤らんで、汗で光った顔がみえた。やがて憂鬱そうな声でつぶやいた。

「検温器を取ってくれ」

窓際で縫いものをしていたメグレ夫人は、もう薄暗くなっていたのに、外が見えるように透しレースのカーテンをあけていたが、溜息をすると立ち上がって、電気のスウィッチをひねった。

「眠っているものと思ってたわ。ご自分で熱を計ってから三十分と経っていませんよ」

大の男の夫に逆らってみたところで仕方のないことだ、とは今までの例で知っていたから、諦めてしまった彼女は、水銀を下げようと検温器を振って、彼の唇に差し込んだ。

が、彼にはこう訊く余裕はあった。

「誰も来なかったかい？」

「ごぞんじなんでしょう、ねむっていなかったんですもの」

彼はうとうとしていたはずだったが、それもほんの二、三分だった。しかもこのメグレ夫人のさわがしさのためにうとうとしてもすぐ目を覚まされてしまうのだった。

二人は自分の家にいるわけではなかった。この田舎町での彼の任務が半年近くもつづくはずだったし、メグレ夫人は夫がそんなに長い間レストランで食事するのを黙ってみているのかと思うとたえられなかったので、夫について来て、二人は町の高台に家具つきアパートを借りたのだった。

とても明るいアパートで、花模様の壁紙に安デパートで売っている家具と警部の体の重みで軋んでしまうベッドがついていた。ともかく二人は静かな通りを選んだつもりだったが、家主のダンス夫人がいったように、事実その通りは猫一匹通らなかった。

家主がいいそえなかったことは、アパートの一階は牛乳屋に占領されていて、チーズの気の抜けた匂いが家中に漂っていることだった。

また家主が少しも触れなかったことで、一日中床についていて、初めて、メグレに分ったばかりのことは、この牛乳屋の戸口にはベルとか鈴とかはついていなくて、その代りに金属の管でできた奇妙な装置が備えつけてあり、お客が入って来るたびに、この装置がゆっくりとぶつかり合い、喧しい音をたてることだった。

「何度あったの？」

「三十八度五分……」

「さっきは三十八度八分あったわ」

「今夜は三十九度以上出ちまうだろうな」

彼は非常にいらいらしていた。病気の時には彼はいつも不機嫌になって、暗い恨めしそうな眼つきでメグレ夫人をみつめるのだった。というのは、彼がパイプに煙草を詰めようとやっきになっているときに、彼女がなんとしても出て行こうとしなかったからだ。

相変らず雨が降っていた。同じ霧雨が、相変らず窓ガラスをぬらして、しとしとと静かに降りつづき、水槽の中で暮しているといった感じだった。コードの先についている裸電球から、光りが眩しく落ちていた。そして通りが、同じように人通りのない空ろな通りが、ひとつひとつ明りのともされている窓が、金魚鉢の魚のように、家の中を行ったり来たりしている人たちが想像されるのだった。

「もう一度煎薬を飲んでみなさいよ」

たしかこれで正午から十回目だったろう、すぐにこの生ぬるい水は発汗して、シーツがびしょびしょになり、しまいには湿布に変ってしまうのだった。

朝の冷たい雨の中を男子校の門のところで、あの少年を待っている時か、それでなければそのあと通りをうろついている時に、彼は風邪か、扁桃腺炎に罹ったに違いなかった。十時頃、彼は巡邏班の自分の部屋に戻って来るとすぐ、それがいつものほとんど機械的になっている手つきで、ストーブの火をかき立てた時、悪寒を覚えた。それからひどく熱くなった。瞼がしょぼしょぼして、化粧台の鏡を覗き込んだ時は、大きな目がうるんでいるのが分った。

その上、パイプがいつもと同じ味ではなかったので、これが徴候だった。

「おいベソン、もしひょっとして、午後、ぼくが来なかったら、れいの児童聖歌隊員事件の捜査をつづけてくれたまえ」

するといつも自分が他の刑事よりもひねくれ者だと自認しているベソンはこういった。

「警部殿、本当に児童聖歌隊員事件ってのがあって、したたか尻をひっぱたいても、事件の解決がつかないとお考えになっているんですか?」

「とにかく誰か同僚の一人にサント・カトリーヌ通りを警戒させておいてくれたまえ。たとえばヴァランにでも……」

「死体が判事の家のまえに戻されていた場合にですか?」

メグレは発熱で意識がもうろうとしていたので、その場所についてあれこれ考えられなかった。彼はつづけて、のろのろ指令を出すのだった。

「あの通りの全居住者のリストを作っておいてくれたまえ。長い通りではないのだから、大した手間もかかるまい」

「もう一度子供を訊問してみますか?」

「いや……」

それからというもの彼は熱が出て、汗が皮膚ににじみ出てくるのを感じ、口にいやな味があった。始終眠りに陥ちこみたいと思ったが、いざ眠ればすぐ牛乳屋の銅管の奇妙な鐘の音を聞かされるという始末だった。

彼が病気になるのが恐しかったのも、病気で気が挫けてしまい、メグレ夫人が枕元につききりで、容赦なく彼にパイプを吸わせまいとしたからだ。もしたった一度でも彼女が薬局へ何かを買いに行ったのだったら！　それなのに彼女はいつも薬を一杯詰めた箱を持ち歩くように心掛けていた。

彼は病気になることを恐れてはいたが、それがほとんど爽快に感じられる時が、また目を閉じると、年齢というものがなくなっている場合があった。なぜなら少年時代の様々の感動がよみがえってくるからだった。

その時、彼は蒼白い顔をして、早くも負けん気のジュスタンのことを思い出していた。今朝起ったこのイマージュがすっかり彼の記憶に戻ってきたが、日毎に現実に起ることの確実さもなければ、事物を目で見た時のそっけなさもなくて、事物を感じ取る時の独特なあの強さがあった。

たとえば、あの屋根裏部屋の隅から隅までを、訪ねて行ったこともないのに、ほとんどいえるに違いなかった。勿論鉄製のベッド、ナイト・テーブルにのった目覚時計、ベッドから腕をのばしたり、そっと着物を着たり、いつもと同じ手つき身ぶりの少年……。

いつも同じことだった！　それが彼には証拠のように、また重要な真実のように思えいきおい自動的になってしまう……。

るのだった。二年間というものきまった時刻のミサに給仕していれば、そうした動作は
六時十五分まえに第一の鐘の音……、目覚時計……、礼拝堂のかぼそい鐘の音……、階段の下の短靴、朝まだきの町の冷たい息吹の中に少年が半開きにする戸口。

「ねえ、メグレ夫人、あの子は探偵小説を一度も読んだことがないんだよ」

多分一度冗談にそうしたのが始まりだったのだろうが、二人は日頃からメグレ、メグレ夫人と呼び合っていて、しまいには自分たちにも世間なみに呼び名があることを忘れてしまうようになるのだった。

「新聞も読まないよ……」

「あなた、もっとよく眠れるのに……」

彼は煖炉の黒い大理石の上に置いてある自分のパイプに悲痛な一瞥を投げて、両眼を閉じるのだった。

「長いことあの子の母親を訊問したんだよ。正直な母親だが、警察は母親に権柄ずくな様子をみせたな……」

「お眠りなさい」

しばらく彼は黙っていた。そのうちに呼吸がずっと深くなった。とうとううつらうつらしているようにみえた。

「母親は息子がいままでに一度も死体を見たことがないとはっきりいった……。子供達には見せたくないものだからな」

「それがどんなに大切なことなの？」

「子供は死体が非常に大きかったので、歩道一杯になっているようにみえたといったのだ……。ところがそれは地面にころがった死体から受ける感じだ……。死人は生きている者より常に大きく見えるものなのだ……。分るかい？」

「ベソンが事件を担当しているのに、どうしてあなたが気を揉むのか、わたしには分らないわ」

「ベソンは信じてやしないんだ」

「何を？」

「死体をさ……」

「電灯を暗くしましょうか？」

彼がいくらそうしないでくれといっても、彼女は椅子に上がって電球を油紙で包み、光りを弱くしようとした。

「一時間眠るようになさい、煎薬の新しいのをあげますわ。あなたあまり汗をかいていらっしゃらない……」

「煙草をちょっと吸っていたんじゃないかと考えているんだろう……」

「気でも違ったの?」

彼女は、野菜スープがどうなったか、と台所に入って行った。彼は彼女が抜き足差し足で行ったり来たりするのを耳にしながら、相変らず五十メートルおきに街灯が立っているサント・カトリーヌ通りのあの同じ場所を思い浮べていた。

「判事はなにも聞えなかったと主張している……」

「なんていったの?」

「きっとあの二人は犬猿の仲なんだ……」

するとと台所の奥から声がした。

「誰のこと話してるの?　わたしが忙しいのよく分ってるくせに」

「判事と児童聖歌隊の子供のことさ……。二人は今まで言葉を交わしたことはないのだが、俺のみたところ二人は犬猿の仲なんだ……。ねえ、ひどく年とっている人で、そのなかでも独りで暮している年寄りは子供のようになってしまうのだよ……。ジュスタンは毎朝通ったし、老判事は毎朝窓のうしろにいた……。彼は梟みたいなのだ……」

「あなたがなにをいいたいのか、分らないわ」

彼女は湯気の立った大匙を持って、ドアのところに立っていた。

「俺のいうことを聞いておいで……。判事はなにも聞えなかったと主張していて、しかも嘘をついていると疑うにはあまりにまじめなんだ……」

「わかってることを！……、もうそんなことを考えるのはお止しなさい……」

「ただ、彼は昨日の朝ジュスタンが通ったのを聞いたとも、聞かなかったともいおうとしないんだ」

「それじゃまた眠ってしまったのかしら？」

「違うんだ……。彼は嘘をつく気がないのだから、わざと曖昧にしているんだ。しかも四十二番地の亭主は病気の妻君の看病をしていて、通りを人が走るのを聞いたんだ」

相変らずそこへ戻ってくるのだった。彼の考えは熱に浮かされて、狭いところに輪を描いていた。

「死体はどうなったと思うの？」とメグレ夫人が分別のある人妻の良い勘を働かせて異議をはさんだ。「もうそんなこと考えないで、ね。ベソンには職業意識があるでしょう、あなたがよくいってらしたもの……」

彼は気をくじかれて、掛布団の中にもぐりこむと、本気になって眠ろうとしたが、すぐさま黒いソックスの上に蒼白い膝小僧をむきだした児童聖歌隊の少年の顔を思い浮かべるのだった。

「なにかわけのわからないところがあるぞ……」

「なんていったの？　わからないって？　ずっと悪くなっているの？　お医者を呼んでほしいの？」

いや、そうでなかった！　彼は振り出しに戻った。そして辛抱強く男子校の門から出直して、会議広場を横切るのだった。

「そうそう。ここでなにかが鳴るのだ……」

まず、なぜ判事にはなにも聞えなかったか、なのだ。彼の偽証を告発するのでなければ、窓の下から二、三メートル離れたところで人が殴り合っていたり、一人の男が兵営の方角に走り出し、その間に児童聖歌隊の少年が別の方角に突走って行ったりしたことは認め難かった。

「それじゃ、メグレ夫人……」

「今度はなんなの？」

「もし、二人が二人共、同じ方角に走り出したとしたら？」

メグレ夫人は溜息をつくと、針仕事に戻って、吐息で切れ切れになる夫の嗄れたひとりごとをお義理で聞いていた。

「第一、これならずっと論理的だ……」

「なにがずっと論理的なの？」

「二人共同じ方角に走ることさ……。ただこの場合兵営の方角じゃない」

「その子が犯人の後を追ったのかしら？」

「そうじゃない。子供のあとを追ったのが犯人だろうと思う……」

「犯人はあの子を殺さなかったんですもの、どうしようとしてなの？」

「たとえば、口どめのためにだ」

「犯人はあの子を口どめにしなかったわ。だってあの子、喋ったでしょう……」

「それとも、子供に何か、正確な詳しいことをいったりさせないためだ……。ねえ、メグレ夫人」

「御用？」

「まずは君が拒絶しようとするのはよくわかっているが、必要欠くべからざるものなんだ……。パイプと煙草をとってくれよ……。ほんの二、三服だけ……。すっかりわかってしまうような気がするんだ。二、三分のうちに糸口がつかめなければ……」

根負けした彼女は煖炉の上のパイプをとりに行って、彼に渡すと溜息をつきながらこういうのだった。

「あなたが立派な口実を見つけることはよくわかっていたわ……。とにかく今夜はあなたがずっと目がさめていてもいなくても、湿布して上げますわ……」

＊

部屋の中に電話が引いてなかったのも好都合だった。牛乳屋まで降りて行かなければならなかった。電話はそこのカウンターのうしろにあった。

「階下へ行って来てくれ、メグレ夫人。ベソンに電話をかけてくれ。七時だな、もしかしたら署にいるかも知れん。いなかったら『カフェ・デュ・サントル』にかけるんだ。あそこでチベルジュと玉を突いているだろう」

「来るようにいうの?」

「できるだけ早く、あの通りの全居住者のリストでなくて、会議広場と判事の家にちょうどはさまれた左側の家の下宿人のリストを持って来るようにね」

「せめて布団からはみ出さないようにして……」

彼女が階段を降り始めたと思うと、メグレはベッドから両足を出して、裸足のまま別のパイプに煙草を詰めこもうと、急いで煙草入の方へ行った。そうしてからまた毛布にくるまると、なにくわぬ顔をしていた。

薄い床板を通して、電話をかけているメグレ夫人の声がぼそぼそ聞えてきた。彼はのどが非常に痛かったが、待望の煙草をすぱすぱ吸っていた。眼前の暗い窓ガラスを幾条もの雨水がゆっくり滑り落ちていた。すると母親が砂糖入りのクリームをベッドへ持って来てくれたり少年時代にやったインフルエンザを想い出すのだった。

メグレ夫人は少し息を切らしながら戻って来ると、何か変ったことを探そうとするかのように、その部屋をチラリと見やったが、パイプのことを考えてはいなかった。

「一時間もすればここへ来ますって」

「もう一度御足労願いたいんだ、メグレ夫人……。君、着替えて……」

彼女は疑わしそうな視線を彼に投げた。

「ジュスタン少年の家へ行って、両親の許しを得たら、あの子を連れて来てほしいんだ。あの子には優しくしろよ……。もし刑事をやったりすれば、おどかすようなことになりかねないし、あの子はもうかなりひねくれてしまっているからな……。ただぼくがあの子と少しの間お喋りしてみたいんだといってくれ……」

「もし母親が一緒に来たがったら？」

「適当にやるさ。しかし母親はご免だな」

一人になった彼は熱にほてり、汗びっしょりになってベッドにもぐりこんでいた。毛布から突き出したパイプから淡い煙が立ち上っていた。彼は目をつむって、相変らずサント・カトリーヌ通りの角を思い浮かべていた。するともう彼はメグレ警部ではなく、聖歌隊の少年になっていて、急ぎ足で、毎朝同じ時刻に同じ道を行き、勇気を出そうと一人で小声で喋っているのだった。

彼はサント・カトリーヌ通りの角を曲った……。

「お母さん、ぼく、自転車を買ってもらいたいんだ……」

なぜなら少年は、病院から帰って来ると母親に甘えている光景を何度も繰り返していたからだ。が、それはもっと複雑なはずだった。少年はずっとうまいやりとりを心に思い描いていたはずだった。

「ねえお母さん、もし自転車があれば、ぼくはできるんだけどなあ……」

それでなければ、

「もう三百フランたまっているんだ……。お母さんが残りを出してくれたら、ミサのお金で返すって約束するよ、そうすりゃぼくはできるんだ……」

サント・カトリーヌ通りの角……。もうすぐその教会で二番目の鐘がなる……。だから人気ない暗い通りをあと百五十メートル行ってしまえば、病院の戸口に手をふれて、ほっとできるわけだった……。街頭の光が落ちている間を二つ三つ跳んで行く……。

少年はいうのだった、

「ぼくは顔を上げて、見たんです……」

そこにすべての問題がかかっていた。判事はその通りのほぼ中央、会議広場と兵営の角との間の中ほどに住んでいたのに、なにも見なかったし、聞きもしなかった。

病気の細君の夫、つまり四十二番地の男は会議広場にずっと近い、通りの右側に住んでいて、走って行く一人の人間のあわただしい足音を聞いていたのだった。

ところが、五分後には、歩道に死体も傷ついた男もなかった。また乗用車も小型トラックも通らなかった。橋のところに立番中の巡査も、あたりを各方向にパトロールしていたその所轄署の他の巡査たちも、常軌をいっしたもの、例えば人を背負った男、とかいったようなものはなにも見てはいなかったのだ。

熱は上がっているはずだったが、メグレはもう検温器で計ろうとは考えなかった。こういう具合に調子が非常にいいのだ。さっきよりずっと良かった。少年がいった言葉から想像できて、その想像できたことに意外な鮮明さがあった。

彼が小さかった時、病気で寝ている彼の上に身をかがめた母親が家からはみ出すほど大きくなったな、と思える時のようだった。

こうした非常に長い体が横に歩道を塞いでいたのだ。なぜなら胸に褐色の柄のついたナイフが突き刺さっている死体だったからだ。

しかも少年から二、三メートル後ろに男が立っていた。非常に明るい目の男で、逃げ出した奴が……。

ジュスタンは兵営の方へ走り出したのだが、一目散に走っていたので、反対の方向へ行ってしまったのだ。

「どうだ！」

なにがどうなのだろう？　メグレはこの言葉を大きな声で口に出したのだった。ちょうどそれに問題の答が入っていたように、またそれが問題の答だったかのように。そして彼はパイプから快い煙を出しながら、満足そうに笑うのだった。

酔っぱらいというのはみんなこんなあんばいなのだ。多くの真実が酔っぱらいには急に明白になってくるものだったが、人に説明なぞできるものではないのだし、酔がさめてみれば、すぐ曖昧になって消えてしまうものなのだ。なにか見当違いのものがあるわけだ！　熱に浮かされながら、この確かとなった点にメグレはまだはっきりしない細かなことを定めていた。

「ジュスタンは作り話はしなかった……」

病院にたどりついた時の少年の恐怖や狼狽はうわべだけのものではなかった。また歩道の非常に長い死体を考え出したわけでもなかった。少なくともあの通りに人が走るのを耳にした者が一人はいたのだ。

判事は歪んだ笑いをうかべて、この話のことをなんといったのだろう？

「あなたは、まだ子供の証言を信用しておいでなのかね？……」

とにかく似たようなものだった。ところで間違っていたのは判事の方だった。子供というものは作り話はできないのだ。つまり火のないところに煙は立たないのだから、もとになるものがあるはずなのだ。あるいは子供というものは置き替えということをするかも知れないが、まるまる作りごとはしないものだ。

どうだ！　またしてもこの『どうだ』はメグレが推理の段階毎に、ちょうど自分でおめでとうというように繰り返す満足だった。

歩道には死体があったわけだった……。

そして、勿論近くに男が一人いたはずだった。明るい目をしていたのか？　ありそうなことだ。

しかも人が走って行ったわけだった。

メグレの判断では、老判事はわざわざうそをつく男ではなかった。

熱はひかなかった。汗びっしょりになっていたが、メグレ夫人が戻って来ないうちに、最後のパイプに煙草を詰めようと毛布から抜け出した。立ったついでに、彼は戸棚を開けてラム酒をラッパ飲みした。

今夜は少しぐらい熱が出たところで、なにもかもやってしまったあとなのだから、やむを得ないわけだ。

これはベッドにもぐりこんだままで、さしずした風変りな捜査、非常に愉快な事件のはずだった。それをメグレ夫人は重くみることができなかった。

判事はうそをついたのではないが、少年を嘲弄してやろうとしたのに違いなかった。同じ年頃の子供が憎み合うことがありうるように、その少年を憎んでいたのだ。

そら……階下の客はずっと少なくなった。戸口の奇妙な鐘の音が間遠になって聞えていたからだ。勿論牛乳屋の亭主とかみさんとハムのようにバラ色の娘とが店の裏で食事をしているというわけか？

人が歩道を歩いていると思うと、階段を昇って来た。そこでつまずいたのが少年の小さな足だった。メグレ夫人はドアを開けて、ジュスタンを自分のまえに押しやった。彼のだぶだぶな水夫用の毛織り雨合羽が雨の雫できらきら光っていた。濡れた犬の感じだった。

「お待ちなさい、合羽をぬがせてあげましょう」

「自分でできます」

またしてもメグレ夫人が疑わしそうな一瞥をくれた。明らかに夫が同じパイプを吸いつづけているのだとは考えられなかったのだ。彼がラム酒を飲んだことを彼女が疑っていないなぞと誰にわかったろうか？

「お坐り、ジュスタン」椅子を指差して、警部がいった。

「ありがとうございます、疲れてはいません」

「しばらくの間、友達として二人でお喋りしようとして来てもらったんだよ。なにをしているところだったの？」

「算数の宿題……」

「それじゃ、あんなにびっくりしたのに、どうして学校へ行っていたの？」

「なぜぼくが学校へ行かないとおっしゃるんですか？」

彼はえらそうに構えていた。正に子供だった。彼は一度爪先だって背のびをした。あるいは寝ている警部を見て、彼がまえよりもずっと大きく、背が高いと思ったのだろうか?

「メグレ夫人、面倒でも台所へ野菜スープのでき具合をみに行って、ドアを閉めてくれよ」

彼女が出て行くと、彼は少年に向かって片目をつむってみせた。

「煖炉の上にある煙草入を取ってくれたまえ……。それからパイプをね、オーヴァーのポケットにあるはずなんだ……。そう、ドアの裏にかかっているんだよ……。や、ありがとう……家内が迎えに行った時、こわかった?」

「こわくなかった」

「いやになったの?」

彼は得意になってそういった。

「だって、みんなが、ぼくが作りごとをいったって何度もいうんだもの」

「じゃ、作り話をしたんじゃないんだね」

「歩道に死んだ男の人がいて、もう一人は……」

「しっ!」

「なあに?」

「急がないで……。お坐りよ……」

「疲れてはいません」

「さっききみはそう言ったけど、立ってられるとぼくが疲れるんだよ……」

少年は椅子の先にちょこんと腰を下ろした。足の先が床につかないので、ぶらぶらふっていた。短い半ズボンと靴下との間にむき出しの膝小僧が覗いていた。

「判事さんにどんないたずらしたの？」

少年はすぐ反射的にかっとなった。

「一度だってなにもしたことはありません……」

「どの判事さんのことを話したいのかわかる？」

「いつも自分の家の窓のうしろにいる梟みたいな人さ」

「そうそう梟のことをいったんだよ……。二人の間になにがあったの？」

「あの人に話しかけたことなんか一度もない……」

「二人の間になにがあったの？」

「冬の間は、みなかったよ。ぼくが通る時、あそこのカーテンが下りていたもの」

「だけど夏は？……」

「あの人に舌を出してやったんだ」

「どうして？」

「だって、ぼくを馬鹿にしてるように見るんだもの。ぼくをみてからかうようになったんだ……」

「あの人に何度も舌を出したの?」

「逢うたびごと……」

「で、あの人は?」

「せせら笑いをうかべていたんだ……。きっとぼくがミサに行くからなんだろうし、あの人は信者じゃないと思うよ……」

「すると、うそをついたのはあの人だってわけか」

「なんていったの?」

「昨日の朝は、あの家のまえでは何も起らなかったたってことだ、つまり事件に気づいたからだな」

　子供はじっとメグレをみつめてから、うなだれた。

「あの人がうそをついたんだね」

「歩道に、胸にナイフが突き刺さった死体があったんです」

「知ってるよ……」

「どうして知ってるの?」

「知ってるんだよ。それが本当のことなんだからね……」メグレはやさしい声で繰り返すのだった。「マッチを取ってくれないか……。パイプが消えてしまった」

「熱があるの?」

「いや、ないよ……。インフルエンザさ……」

「今朝、ひいたの?」

「そうだろうね……。お坐りよ……」

彼は聴き耳をたてると、叫んだ。

「メグレ夫人……。下へ行ってくれるかい?……。今来たのはベソンだと思うし、用事がすむまで奴さんに上がって来てもらいたくないんだ……。階下で相手をしていてくれ……。ジュスタン坊やに呼びに行ってもらうから……」

また彼は幼い友人にいった。

「お坐り、君たち二人が走ったことも本当なんだ……」

「本当だといいましたよ……」

「そう確かにそうだ……。君、ちょっとドアの後ろに誰もいないか確かめて来てくれよ。ついでだからドアがちゃんと閉まってるかも……」

子供はわけもわからず確かめに行ったのだが、彼の動作や身振りがにわかにもったいぶってきた。

「ねえ、ジュスタン、君は正直な好い子だよ」

「どうしてそんなことをいうんです?」

「死体、これは真実だ……走って行った男、それも真実だ……」

少年はこの言葉で顔を上げた。メグレは少年の唇がふるえているのを見てとった。

「そして判事さんはうそをつかなかったが、本当のことを残らずいってしまいもしなかったよ。なぜなら、判事さんというものは嘘をついてはならないと思っているからだ……」

部屋はインフルエンザとラム酒と煙草のにおいがしていた。野菜スープが台所のドアの下からぷーんとにおってきた。相変らず暗い窓ガラスに銀のような雨が降りそそぎ、そのガラスの向こうにはひっそりとした通りがあった。向かい合っているのは大人と子供だったのか？　それとも二人の大人だったのか？　または二人の子供だったのか？

メグレは頭が重くて、目がうるんでいた。パイプの味は病気のせいで妙だったが、味がなかったわけではなく、病院、礼拝堂、聖器安置所といったところのにおいが思い出されるのだった。

「判事さんが本当のことをすっかりいってしまわなかったのは君を苦しめてやろうとしたからなんだよ……。それに君も本当のことをすっかりいってしまわなかった……。特にぼくは君が泣くようなことはいいたくないんだ……。今、ここで君と話していることをみんなが知ろうと思えば、わけないんだ……。分るだろう、ジュスタン？」

少年はこっくりした。

「もし君が話したことが何も起らなかったのだとすれば、四十二番地の旦那は人が走るのを聞かなかったろうと思うんだ……」

「ぼくは作り話はしなかった」

「その通りだ！　しかし君のいうとおりにあのことが起きていたのなら、判事さんはなにも聞かないって断言できなかったと思うよ……。それでもし犯人が兵営の方へ走って行ったのだったら、あの爺さんは誰も家のまえを走り過ぎなかったとは誓わなかったと思うよ」

少年は口をつぐんで、ぶらぶらさせた足の先をじっと見つめていた。

「要するに、判事さんは正直な人だが、昨日の朝、君があの家のまえを通ったことはいわなかったのだ……。が、あるいは君が彼の家のまえを通らなかった、と断言できたかも知れない……。これが本当のことなんだよ。君は逆の方向に逃げ出したのだからね……。もちろん誰も歩道を、あの家の窓の下を走り過ぎはしなかったことも立派に真実を物語っているわけだ……。なぜなら男はその方向には走り出さなかったんだからね……」

「そんなこと、どうして知ってるの？」

彼はすっかりしゃちこばってしまった。目を大きく見開いて、前日殺人犯人か被害者を見つめたように、メグレを見つめていた。

「そのわけは、男の人はどうしても君と同じ方向へ飛んで行かなければならなかったためなんだ。これで四十二番地の旦那が人の通るのを聞いたことが説明されるわけだ……。なぜなら君がその男を見、死体も見たので、君がその男を逮捕させることができると知ったので、彼は君の後ろを走ったのだ！」

「お母さんにそういわれたら、ぼくは……」

「しっ！……たとえお母さんであってもなくても、人にいおうなんて気はないよ……。ねえ、ジュスタン、これからぼくは大人にいうように君に話そう。殺人犯人には極くわずかの痕跡すら残さずに、数分間で死体を消滅させるだけの理性と落ちつきとが充分にあったのだから、君が目撃してしまった以上、そのまま君を逃がしてしまうようなへまをやりはしなかったと思うのだ」

「知らない」

「ぼくは知っている……。知ることが商売なのさ……。一番難かしいことはだね、人を殺すことではなくて、消滅させることなんだ。それがみごとに消滅したんだ……。その人は消え失せたんだ。君が死体を目撃し、犯人を見たのにね……。別のいい方をすれば犯人の方は非常に力の強い男だ……。それで非常に力の強い男は、気がつけば、君をあいうふうに逃げ出させはしなかったと思う……」

「知らなかった……」

「知らなかったって？」

「そんなに重大なことだったって、知らなかったんです」

「少しも重大じゃないよ。なにしろ今じゃ悪いことはみんな改められたんだから」

「あいつを捕えたの？」

そう口に出していった態度には大きな希望が見えていた。

「もちろん、すぐにつかまるだろう……。腰かけていなさい……。足をぶらぶらさせないで……」

「もうなにもいわない」

「まず、もしあの事件が判事の家のまえで、つまり通りの中央で起ったとすれば、君はもっと遠くから目撃して、逃げるよゆうがあったろうと思う……。ね、これが殺人犯人の犯したただひとつの手ぬかりなんだ。たちの悪い奴だったら……」

「どうして見破ったんです？」

「見破ったわけじゃないが、昔、児童聖歌隊員だったので、ぼくも六時のミサに給仕したんだよ……。君がまえをみないであの通りを百メートルも走ったはずがないよ……。で、死体はもっと近くに、ずっと手前の、曲り角のすぐ先のところにあったんだ」

「五軒先……」

「君は他のことを考えていたんだ。自転車のことをさ。それで何も目に入らないで、二十メートル歩いたかも知れないね」

「小父さんが知ってるなんてことはない……」

「そこで死体を目撃して、他の通りから病院へ行こうと、会議広場の方へ走ったんだ……。するとその男も君の後ろを走った……」

「こわくて死んじゃうみたいだった……」

「その男は君の肩に片手をかけたの？」

「ぼくの肩を両手でつかんで……、首を絞められるような気がした……」

「その男は君にこういえって……」

少年は涙を流していたが、声は出さなかった。顔は蒼ざめて、涙が頰にゆっくりつたっていた。

「小父さんが母さんに話せば、一生叱られるだろうな。母さんはしょっちゅう叱るんだもの」

「その男は、事件がずっと先の方で起ったというように命令した」

「そうです」

「判事の家のまえで？」

「ぼくが判事の家のまえと考えたんです、判事に何度も舌を出してやったから……。その男の人は、通りの向こう側の先の方、といっただけです……。そうして兵営の方角へ逃げて行きました」

「あやうく完全犯罪になってしまうところだったんだ。なぜなら、誰も君のことを信じなかったし、犯人も死体も、いかなる痕跡もなかった。それに一から十までありそうもないことだったからね……」

「でも小父さんは？」

「ぼくは、ちがうぞ。うまい具合に児童聖歌隊員だったし、おまけに、今日熱が出たからね……。その男は君にどんなことを約束してくれた？」

「こういったんです、もしぼくがあの人の命令通りのことをいわなかったら、警察なんか物の数じゃないから、ぼくがどこへ行こうといつでもみつけ出して、ひよっこの首をちょん切るみたいにやってやるって」

「それから？」

「なにがほしいか訊きました……」

「それで答えたんだね、《自転車……》って」

「どうして知っているの？」

「何度もいったぞ、ぼくも昔は児童聖歌隊員だったってね……」

「じゃ、小父さんも自転車がほしかったの？」

「それもほしかったさ。とにかくぼくがもってないものはたいていほしかったな……。

どうして、君、その男が明るい眼をしているっていったの？」

「知らない……。あの人の目はみなかった。大きな眼鏡をかけていました。だけど、あの人がみつからなければいいと思った……」

「自転車のためにね……」

「もしかしたら……、小父さんは母さんにいっちゃうんでしょう？」

「お母さんにだって、誰にだっていわないよ……。ぼくたち二人は仲好しじゃないのかい？……。ちょっと！　もう一度煙草を取ってくれたまえ。それから、こうして話している間にぼくが三本のパイプを吸ったってことをメグレ夫人にいっちゃいけないよ……。大人っていうものがいつでもうそのまじっていない真実をいうとは限らんって、分ったろう……。ジュスタン、それはどこの家のまえだった？」

「黄色い家。豚肉屋の隣りの」

「家内を呼んできてくれないか」

「どこ？」

「階下だよ……。ベソン刑事といっしょにいる。君にずいぶん意地悪だった人さ」

「ぼくをつかまえに来たの？」

「戸棚を開けてごらん……」

「ここ……」

「ズボンがぶら下っているだろう……」

「どうすればいいの？」

「右のポケットに紙入があるだろう」

「ある」

「その紙入に名刺が入ってるよ」

「これがいるの？」

「それを一枚出して……、テーブルの上にある万年筆もだよ……」

なにかを台にして、メグレは名刺にこう書きしるした。

「自転車一台の引替券」

第三章　黄色い家の借家人

「お入りなさい、ベソン」

メグレ夫人は煙草の不透明な煙に目をやった。煙は油紙でおおった電灯のまわりにただよっていたが、すぐ台所の方へ流れて行った。その台所から焦げ臭いにおいがしていた。

ベソンは、少年が立ったばかりの椅子を引き寄せ、その子を無視した態度で口を切った。

「作るようにいわれたリストを持って来ました……。ただちに申し上げなければなりませんのは……」

「リストは不用ってことさ……。十四番地には誰が住んでいる?」

「ちょっと……」

彼はノートを調べた。

「お待ちください……。十四番地と……、借家人が一人だけです……」

「そうだろうと思っていたよ」

「はあ?」

刑事は片眼で不安そうにちらりと少年を見た。

「外人の、宝石ブローカー……。姓はフランケルシュタイン……」

すると、枕に頭を埋めていたメグレはつまらなそうな声で呟いた。

「故買か……」

「なんですって、警部殿?」

「故買さ……。おまけに一味のボスかも知れん……」

「分りませんね」

「それは大したことじゃない……。ま、大人しくしたまえ、ベソン。戸棚にあるラム酒の瓶を取ってくれ……。早くだ、メグレ夫人が来ないうちに……。賭けてもいいが、熱は三十九度五分あるし、今夜はどうしたってシーツを二度替えることになるな……。フランケルシュタインか……、予審判事に家宅捜査令状を請求してくれ……。駄目だ……。こんな時刻じゃ手間がかかる。きっと判事はどこかでブリッジをしているだろうからな……。夕飯はすんだかね?……。ぼくは野菜スープを待ってるんだよ……。ぼくの部屋に白紙の令状がある……。左の引出しの中だ……。それに書いて……、家宅捜査をしてくれ……。きっと死体がみつかるよ、たとい地下室の壁を破壊しなければならなくてもだ」

哀れなベソンは、不安そうにメグレを、それから少年を眺めた。少年は部屋の片隅で大人しく待っていた。

「おい早くしたまえ……。今晩、子供がここに来たことをそいつが知っているとすれば、もう塒(ねぐら)にはおらんぞ……。そいつは、『知能犯』なんだからな」

事実、「知能犯」だった。パトロールがその男の家のベルを鳴らした時、彼は中庭から塀を越えて逃げようとしていた。彼を捕えるのにまる一晩かかった——結局、屋根の上で捕えたのだが——一方、他の警官が家を捜査し、数時間後に石灰製の浴槽の中で腐爛死体を発見した。

決着がついて、みんな明白になった。ボスに不満だった男が、ねこばばされたと思い込み、早朝に、ボスを家から誘い出したのだ。フランケルシュタインは入口へ降りて来た、同じ頃、児童聖歌隊の少年がその通りの角を曲ったことを気づかずに。

「何度だ?」

メグレにはもう自分で検温器をみる勇気がなかった。

「九度三分……」

「ごまかしているんじゃないだろうな?」

彼は彼女がごまかしていて、体温が九度三分より上がっていることは知っていたが、そんなことはどうでもよかったのだ。ただ熱のために意識がなくなって、ぼんやりしてはいても、目がくらくらするほどの速さで非常に現実性をもった世界へ勝手にのめり込んで行くのが快かったのだ。その世界で、かつての幼いメグレに似た児童聖歌隊の少年が通りを夢中になって走り、絞め殺されそうだとか、ニッケル鍍金(めっき)の車輪のついた自転車が自分のものになるぞとか考えていた。

「あなた、なんていったの?」メグレ夫人が言葉をかけた。彼女は手でしぼった、火傷するような湿布を、夫の頸にまきつけようとしていた。

彼はひどく熱が出た少年のように、わけの分らないことをぶつぶつ《第一の鐘》とか《第二の鐘》とか喋っていた。

「遅れてしまうな……」

「なにに遅れるの？」

「ミサにさ……。尼さん……、尼さん……」

彼はどうしても《堂守》という単語を声にすることができなかった。

「尼さん……」

とうとう彼は眠り込んでしまった。頸に大きな湿布をまいて、マリ・チタンの宿屋のまえをこわいので走って通った故郷の町のミサを夢みていた。

なにがこわいのか？……

「矢張り、あいつに逢った……」

「だれ？」

「判事だ」

「どの判事？」

説明するのは面倒だった。あの判事は故郷の町の誰かに似ていた。彼が舌を出した誰かに……。鍛冶屋だったか？……。いや違う……。パン屋のおかみさんの舅だった……。こんなことは大したことではなかった。彼が好かなかった誰か……。

判事がすっかりごまかしてしまったのだ。児童聖歌隊の少年に仕返しをしてやろうとして、人々をおこらせてやろうと思って……、彼は『自分の家のまえでは』物音を聞かなかったといった……。

だが、彼は別の方角へ追いすがって行く足音を聞いたとはいわなかったのだ……。

老人というものは子供にかえる……。そして子供と口げんかをする……、子供のように……。

とにかくメグレはすっかり満足していた。彼は三本も、四本もパイプをごまかした……。口一杯に煙草のおいしい味がしていた。そうして彼は次第に眠りに沈んでいった……。

翌日になってもまだインフルエンザだったら、メグレ夫人が砂糖入りのクリームを作ってくれることだろう。

クリスマスと人形

エラリイ・クイーン
宇野利泰訳

エラリイ・クイーン

アメリカの作家。フレデリック・ダネイ（一九〇五―一九八二）とマンフレッド・B・リー（一九〇五―一九七一）の、いとこ同士による合同ペンネーム。一九二九年、長篇『ローマ帽子の謎』でデビュー。その後も作者と同名の名探偵が活躍する傑作をいくつも残した。

宇野利泰（うの・としやす）

一九〇九―一九九七。エラリイ・クイーン、ジョン・ル・カレ、ブラッドベリの作品など翻訳多数。

Ellery Queen: The Dauphin's Doll,1948

物語作者のあいだには、編集者たちから容認されている不文律がひとつ存在する。元来は編集者たちの要請に応じたものと思われるが、クリスマスについての物語は、子供たちを登場させねばならぬというのがそれである。このクリスマス物語にしても、やはり、その例外ではなかった。それも、あまりにも多数登場させてしまったので、子供ぎらいの人々のひんしゅくを買うおそれがないともいえない。ついでに作者として、あらかじめお断りしておくが、これは同時に、人形の物語でもあり、サンタ・クロースも登場する。そして、けっきょくは凶盗も顔を出す。ただし、最後の正体はだれであるにしても——その、だれであるかということが、事件の謎のひとつであるのだが——バラバ（キリストといっしょに死刑になった盗賊）でないことは、（寓話的な意味であるにしても）はっきりしているのである。

クリスマス物語を統御するいまひとつの不文律は、物語そのものに、《美と光》とを指向するところがなくてはならぬということだ。前者はもちろん、孤児たちと、年々くりかえし演じられ、しかもいまだに、その香気を失わぬ《奇蹟劇》に表わされる。後者すなわち《光》にしても、物語の終末ちかくではあるが、われらの輝かしき天才児エラリイ・クイーンが、事件を解決するとともに、きらめきわたることになるのである。

闇の世界をのぞきこむのが好きな読者は、この物語の少なからぬ部分を、《暗黒》の力が支配しているのを知って満足するにちがいない。闇が人間を化現し、その追跡に疲労困憊したクイーン警部の意見によれば、悪の国の大天使、反逆の翼をひろげるプリンスが、われら人間をさいなみ苦しめる。ついでにいっておくと、《悪》の名はサタンではなく、コーマスである。いわばそれは、このうえもなく皮肉なパラドックス、ギリシャ神話のコーマスとは、だれもの知識にあるように、これぞ歓びと逸楽の神（酒神バッカスと妖女キルケのあいだに生まれた飲酒宴楽の神）、地下の国を連想させる存在ではないはずだ。

エラリイは、神出鬼没のこの敵手、幻の賊（ファントム）ともいうべきこの悪魔を捕えようと、惨憺たる苦心をつづけ、その間、この論理の飛躍（ノン・セキツール）に、むなしく頭脳をさいなむばかりだった。ただ、むなしく、しかし、最後には現実家ニッキイ・ポーターによって、眩惑を破る答えを与えられた。それは神々のあいだにではなく、人間世界にさぐるべきだと教えられたのだ。わが偉大な名探偵としては、これ以上屈辱のはなはだしいものはないのであるが、真相はやはり、そこに発見された。大英百科事典（エンサイクロペディア・ブリタニカ）の出版記念百七十五年の刊本、その第六巻――とは、コレブからダマスカスまでの巻であるが――二六二ページ右側にフランス人奇術師の名が見える。これがコーマス（本名コッティ・コーマスともいう）。一七八九年にロンドンで興行して、台上から妻の姿を消してみせた。それが事実は、妻であろうと、女助手であろうと、とにかくコーマスなる奇術師が、鏡の作用を用いずに、はじめて観客の眼のまえから人間の姿を消失させてみせたのだ。闇の世界の好敵手の名をたずねにたずねて、ついにその歴史的出所をつきとめえた瞬間、エラリイの胸には満足感が湧きあがった。そして、けっきょくそれを手がかりに、ふたたび光明を、かれの周囲にみなぎらせ、暗黒と悪との天使を、退散させることができたのであった。

しかし、はじめはすべて、渾沌である。

そしてこの物語にしても、眼に見える人物によっては幕をおとさない。われらの死人の話で開始されるのだ。

ただしミス・イプソンは、当初から死人で登場するわけではない。いや、それどころか、およそ積極的な生涯を、七十八年おくるのである。その父親はなにかにつけて口にした。〝あれはきみ、ひどくアクティブな他動詞なんだぜ〟ミス・イプソンの父というのは、中西部のある小さな大学で、ギリシャ語の講座をもつ教授だった。活気に溢れた女生徒のひとりと、いささか不調和な結婚をして、娘をひとりもうけた。これが、後年のミス・イプソンで、その母方の祖父から、アイオワ州きっての大養鶏場を遺産として引継ぐことになったのだ。

イプソン教授は、かなり変ったところのある人物だった。ギリシャ語の教授の多くとちがって、もともとのギリシャ人でミティリニエ島はポリケニトスに生まれ、ジェラシモス・アガモス・イプシロノモンと呼ばれた。かれが折にふれては想い出すことを好んだものだが、そこは、《火と燃える情熱の詩人サッフォの、愛し、かつ、歌った》ところである。事実、課外教授の時間には、かならずといってよいくらい、この引用句が、かれの口から飛びだすのだった。

そしてこのイプソン教授は、ギリシャ人の理想とはうらはらに、あらゆる事物に、度はずれた逸脱を愛した。そうした国民性と教養とをバックにおかぬかぎり、父性にたいする、なみはずれた教授の興味を理解することはできない。むろんそれは、その細君のいきどおりのタネであった。ただ、イプソン教授夫人の閨房のいさおしとしては、その収入の基礎をなしている養鶏場主となった娘ひとりにかぎられていた。教授はよその女に子供を産ませた場合、きまってそれを指摘して、夫人をおさえつけた。ミス・イプソンの生誕は、この夫妻のあいだでは、生理学上の奇蹟ともいえるものだった。

教授の心理には、まだほかに、イプソン夫人の理解を越えた動きがあった。いつも彼女は不思議に感じるのだったが、どうせその名を、イプソンと短縮させるのだったら、なぜ、ジョーンズとかなんとか、もっとわかりやすいものにしなかったのであろうか？　その疑問に、教授は一度、答えたことがあった。〝おまえはアイオワのいなかの淑女だから、そんなつまらぬことを考えるのさ〟〝だって〟とイプソン夫人はさけんだ。〝イプソンなんて、発音もむずかしいし、つづることだってできませんわ！〟イプソン教授はつぶやいた。〝これはわれわれギリシャ人が、宿命として背負っている十字架。イプシランティ（ギリシャの愛国者、兄弟して国事に奔走す）とともに、耐えねばならぬことなんだ〟それにはイプソン夫人も、〝まあ〟というばかりだった。

　教授のことばには、いつもきまって、女予言者（シビル）のそれを思わせる謎めいたひびきをともなっていた。たとえば、その夫人を呼ぶに、好んで《イプシリ形質（フォーム）》ということばをつかった。それは教授の説明をまつまでもなく、卵の成育過程にあらわれるギリシャ文字のYに似た萌芽的部分を指す術語である。それは彼女にとって、きわめて適切な名称だというのだった。イプソン夫人は、ますます頭を混乱させられて、まだ成熟しきらぬうちに死んでしまった。

　すると教授は、かなりの人気のあった女芸人と、カンサス・シティへ駆けおちした。ひとりのこされた娘は、母方の親戚、長老教会派の信者で、ジュークスという名の男に育てられた。

　ミス・イプソンが、当の父親からの手紙を受取ったのは、父親が流浪（オーデイセイ）の旅に出てから、四十年目のことだった。むろんその間に、手紙らしいものがなかったとはいわぬが、いつもそれは、学識に溢れ、魅力に富んだ筆で、《金銭》の無心をするものだった。それはそれとして、四十年目のその手紙には、彼女のコレクションにくわえてくれと、ギリシャ出土のテラ・コッタ人形をおくってよこした。製作されてから、三千年はたっていようという名品だった。ただ、不幸なことに、ミス・イプソンは国民の義務として、それをブルックリン博物館に、返還した。盗難にかかった品物であったからだ。父親が送ってよこしたとき、一風変った献辞が添えてあった。いわく——《贈りものを受くるも、ギリシャ人にはこころゆるすな》

ミス・イプソンの人形蒐集は、その背後に、《詩》をひそませていた。彼女の誕生にさいして、教授はおのれ自身の多産性が、彼女にもまた伝わることをねがったのか、その名をシサリーア（アフロディーテのこと、愛と多産の神）と名づけた。これもまたオリンピアの皮肉である。父親がもつ多産へのねがいは、石にも似た母親の子宮を譲りうけたために挫折した。強壮頑健な男子を五人まで夫にもち、つぎつぎと先き立たせたが、ミス・イプソン自身は、生涯をうまずめとして終えた。すべての情熱が、むなしく費やされたのち、品よく小柄な老婦人が、壮麗なニューヨークのアパートに、一生をかけて蒐集した人形とともに暮らしているのを見るのは、古典悲劇的な感慨をもよおさせるものである。

蒐集の当初は、ビリケン、キューピー、キャシー・クルーズ、パッチー、等々、種類は多いが、泥人形ばかりだった。その後、彼女自身の欲求がつのるにつれて、ミス・イプソンはその探索の手を、過去へ過去へとのばしていった。

　エジプト古代のものが二個、売りものに出たと聞いて、ファラオの国まで出向いたこともあった。乾燥した泥の板を削り、彩色をほどこして、髪の毛のようにこまかくてほそいビーズの首飾りをつけたものだ。足はついていない——これは人形を逃げださせぬためだ——専門家の鑑定によると、現存するもののうちでは、おそらく最上級に属するであろうという。むろん異論がないわけではないが、大英博物館所蔵の品より、はるかにすぐれた逸品と批評されている。

　ミス・イプソンの功績のうちには、《リティシア・ペン》人形より、さらに古い人形を発見したことがある。《リティシア・ペン》人形は、一六九九年のことだが、ウイリアム・ペン（ペンシルヴァニア植民地をひらいたクエーカー宗徒）が、その幼少の娘の遊び友だちへの贈りものとして、イギリスからフィラデルフィアへ将来したもので、アメリカにおける最古の人形と考えられていた。これにたいし、ミス・イプソンの発見にかかわるものは、木部の胴に金らんとびろうどの衣裳をまとわせた《小婦人像》で、ウォルター・ローレイ卿が、新大陸にはじめて生を得たイギリス人の子を祝うために送ってよこしたものだった。そのヴァージニア・デアの誕生は一五八七年であるから、アメリカ国立博物館員（スミソニアン）にしたところで、ミス・イプソンの勝利を論難する余地はないはずである。

　老婦人の陳列だなとガラス・ケイスには、一千個におよぶ小児たちの富をながめることができた。そのあるものは、成長した子供たちの眼によっても——それもまた、人形にそなわる生態のひとつといえるのだが——じゅうぶん、ひと財産の価値があるとみられているのだった。

十四世紀のフランスに流行した《ファッション・ベビー》があるかと思うと、南アフリカはオレンジ自由国のフィンゴ種族が、聖なるものとして崇めまつる人形もある。古代日本の宮廷びなやサツマの紙びながならんでいるそばには、ガラス玉の眼をはめたエジプト・スーダンの《カリファ》人形が見られ、白かばの皮を用いたスエーデン人形のとなりに、アリゾナのインディアン、ポピ族の《カチナ》人形がある。そのほか、マンモス象の牙を刻んだエスキモー人形から、チペワ・インディアンの羽毛人形、はては、古い中国の起きあがり人形、コプト人の骨細工、月の女神(ダイアナ)に捧げられたローマ人のそれ、あるいはまた、マダム・ギロチンの脅威がブールヴァールを席捲するまで、パリの街頭に見受けられたからくり人形(パンタン)、初期のキリスト教徒が迫害を避けて、地下の穴ぐらにまつった聖家族と、ならべたてていると数かぎりないが、それすら、ミス・イプソンの巨人ブリアレウス(手が百あったという巨人)式コレクションのうちでは、ほんの一部をあげたにすぎないのだ。ボール紙の人形も所蔵していたし、けものの皮を用いたものもある。糸巻き、かにのはさみ、卵の殻、とうもろこしのから、布切れ、松かさ、靴下、素焼きの陶、しゅろの葉、厚紙、豆のさやと、その材料の種類だけでもたいへんなものだ。そのあるものは、四十インチの高さをほこっているし、ミス・イプソンが、その金の指ぬきにかくしてしまうほど、小型のものもある。

シサリーア・イプソンのコレクションは、数世紀にわたって、歴史がのこしていった貢ものを、ことごとくあつめていた。これ以上網羅的なものはないといえよう——話に聞くモンテズマ、ヴィクトリア、ユージェーヌ・フィールド——そのどれをもはるかに凌駕している。ニューヨークのメトロポリタン、ロンドンのサウス・ケンジングトン、はては旧ブカレストの宮殿であった博物館、あるいはまた、幼女たちの夢に浮かぶ、どこか途方もなく遠い国にあるそうした施設にしても、彼女のそれには、とうていおよぶべくもないのであった。

これがみな、アイオワの卵と、アテネの岸との結合によって生れ、とうもろこしによって育てられ、てんにんかに飾られた女性の手によって集められたものである。そして、それは、なにはともあれ——まだそれ以来、数年とはたっていないのであるが——ある年の十二月二十三日、弁護士ジョン・サマセット・ボンドリング氏をして、クイーン家のアパートを訪問させる事態をひき起こしたのである。

十二月二十三日といえば、今年にかぎったわけではないが、クイーン父子を訪れるのに、これほど不適当な時機はないのである。リチャード・クイーン警部は、いかにもかれらしい話だが、むかし風なクリスマスを好んだ。七面鳥の詰めものがその一例で、これを料理するのに、かれはまず、二十二時間は完全に費やした。そのうえ、その材料にしても、近所の食料品店で、かんたんに買いととのえられるようなものでは気にいらないのである。

エラリイのほうはどうかというと、これはまた、度はずれた贈り物気ちがいだった。クリスマスの一カ月まえから、名探偵としてのその才能を、ことごとく、贈り物用の買いものにむけてしまう。めずらしい包み紙、うつくしいリボン、美術的な郵便切手といったものを漁りまわって、その最後の二日間は、これらの品によって芸術的価値をつくりあげることに専念するのだった。

弁護士ジョン・S・ボンドリングが訪問してきたのは、ちょうどこういう日であった。クイーン警部は台所にとじこもって、バーベキュー用のエプロンをつけ、香料用の野菜類（フィーン・ゼルブ）のまぜあわせに奮戦していた。一方、エラリイは書斎に身をひそめ、むろんドアに鍵をかけ、ひょうたん草（フューシャ）のような赤むらさきにかがやくメタリック・ペーパー、フォーレスト・グリーンの紋織りリボン、ないしまた、松かさなどを駆使して、みごとなシンフォニーを形成するために苦心の最中だった。

ボンドリング弁護士のさし出す名刺をながめて、（その名刺たるや、ご本人同様、ピンとはりきったものだった）エラリイの秘書ニッキイは、肩をすぼめてみせた。

「きょうはたぶん、お会いにならないと思いますけど——でも、ボンドリングさん、たしかいま、警部さんとは、ご面識がおありのようにおっしゃいましたわね」

「遺産関係を専門にしている弁護士で、ボンドリングと伝えてもらえばわかるはずです」と弁護士はいらいらするようにいった。「事務所はパーク・ロー、警部さんはよく、ご存じですよ」

「では伝えますが、そのかわり、クリスマス料理の材料にされましても、わたしをお恨みにならないでね」とニッキイは笑って、「使えるかぎりのものは、ぜんぶ使ってしまったようですから」そして彼女は、クイーン警部に、弁護士来訪のことを知らせにいった。

彼女が行ってしまうと、音も立てずに、書斎のドアが、一インチほどあいた。そしてその隙間から、偵察するような眼がのぞいた。

「おどろかないでいただきます」

眼の持主は、ドアの隙間からそっと出て、いそいで鍵をおろすと、

「あの連中のいうこと、気になさってはいけません。子供なんですよ。まだほんの子供でね」

「子供！」そして、ボンドリング弁護士は、大声をあげた。

「失礼ですが、あなた、エラリイ・クイーンさんでは？」

「そうですが――」

「あなたもまた、その子供たちに、関心をおもちでしょうか？　クリスマスに？　この祝日における孤児とか、人形――ええ、そういったものに？」

　とボンドリング氏は、かなりずけずけした口調で、まくしたてた。

「もっているつもりですがね」

「ああ、お父さんが出ていらした。クイーン警部――！」

「おお、ボンドリングさん」老紳士は、訪問客と握手をかわしながらも、気持はまだ台所にあるようで、「さっき役所から電話があって、だれか、こちらへ訪ねてくると知らせてきたんだが、あんたでしたか。おや、お手をよごしましたな。このハンカチをお使いなさい。なあに、七面鳥のリバーですよ。ボンドリングさん、これがせがれです。こちらは、その秘書のミス・ポーター。ところで、こんな日にご光来とは、どんな用件で？」

「警部さん、わたしは目下、シサリーア・イプソンの遺産を処理しているんですが、それについて――」

　エラリイが口を入れた。

「ボンドリングさんですか。お目にかかれて仕合わせです」そして、ニッキイにむかっていった。「あのドアは鍵をかけておいたからな。ぼくの眼をぬすんで、はいりこもうとしてもむだだぜ」

「シサリーア・イプソンというと」と、警部はちょっと考えて、「そう、そう。最近、亡くなった婦人ですな」

「わたしに、頭痛のタネをのこしてしまってね」ボンドリング氏はにがにがしげにいった。「なにしろ、その《ドルレクション》を片づけるだけでも、一仕事なんですよ」

「え？　その、なんです？」エラリイが顔をあげてきいた。

「人形(ドル)――コレクションですから、ドルレクション――彼女のつくったことばなんです」

エラリイはドアの鍵をポケットにしまって、かれ専用の椅子に歩みよった。

「それ、書きとめておきましょうか？」と、秘書のニッキイが、ため息まじりにいった。

「ドルレクションだぜ」とエラリイがくりかえした。

「彼女はこの仕事に、三十年近い月日を費やしているんです。人形の蒐集に！」

「なるほど――ニッキイ、それも書きとめておいて」

クイーン警部は、話のさきをせきたてた。

「で、ボンドリングさん。それになにか、問題がおきましたか？　なにぶん、クリスマスは、年に一度のものでしてね」

「遺志によって、《ドルレクション》を競売にかけます」と弁護士はかん高い声でしゃべりだした。「その売り上げで、孤児の保育事業の基金が設定されることになっております。さよう、新年そうそう、公売をおこなう予定になっているのです」

「人形と孤児か、なるほど」

　警部はあいかわらず、うわの空でいった。その思いは、いまだに、ジャワ産の黒胡椒と味つけ塩に飛んでいた。

「けっこうなお話ね」

　ニッキイがそういうと、ボンドリングはそれとなく、愚痴に移った。

「と思いますかね？　あんたがたは、遺言検認判事と折衝したことがないので、そんな気楽なことがいえるんです。わたしはこれで、九年間も遺産事務をとりあつかっていますが、さいわい、一度だって、とやかくいわれるような失敗はしておりません。ところが、こんどのように、そのなかに、小さなててなし――いや、その、小さな、父親のない子供ですな。そういったものの利益がふくまれているとなると、これはもう、かんたんにかたづくことじゃない。げんに、この事件の遺言検認判事の態度をごらんになってもわかるんですが、まるでわたしは、ビル・サイクスみたいに考えられておる！」

「ええと――あの詰めものをと――」

「そこでわたしは、このおびただしい人形のカタログをつくりあげてみたんです。その数量は、おどろくべきものがありました。が、ここに困ったことは、こうした物品となると、ちゃんとした市場が存在していないんです。しかもこの老婦人の遺産たるや、わずかの身のまわり品をのぞくと、この《ドルレクション》がぜんぶといってよいくらいなんです。彼女は最後の五セント貨まで、この蒐集に注ぎこんでいたんです」

「しかし、それだけでも、一財産はあるんでしょう?」

とエラリイが、抗議するようにいうと、

「だれにとってです、クイーンさん? 博物館なんてものは、こうした品とみると、無償で寄贈してもらえるものと考えているんです。そうかといって、競売にかけてみたところで、ただひとつの品をのぞいては、おそらく、孤児たちに、わずか二日分のチューイン・ガムをあてがう金も、売りあげられないと思いますよ!」

「そのひとつの品とは?」

「カタログ・ナンバー八七四――これを読んでください」

クイーン警部は、ボンドリングが大外套のポケットからつかみだした分厚なカタログを読みはじめた。

「フランス皇太子（ドーフィン）人形（ドール）。世界に唯一の品。象牙製の貴公子像。全長八インチ。てんの皮、金らん、びろうどの宮廷服、腰に黄金づくりの宮廷剣、金冠の頂きに、良質の大青ダイヤをちりばむ。その重量、ほぼ四九カラット――」

「まあ! 四九カラット!」ニッキイがさけんだ。

エラリイまでが興奮しだして、

「というと、《希望》だとか、《南アフリカの星》などより大きいのか！」

父の警部は読みつづける。

「──およそ十一万ドルと評価せられる」

「なんて値段だ！」

「こわいみたい」ニッキイが、また、さけんだ。

「この、こわいみたいな──おい、おい、口を出すから、読みまちがえるじゃないか。この精巧な王家の人形は、フランス国王ルイ十六世より、その第二王子ルイ・シャルルの誕生祝いとして贈られたもの。この王子は、一七八九年、長兄の死により、皇太子となる。フランス革命に際し、サン・キュロット党に拘禁せらるるも、その間王党より、ルイ十七世と呼ばれ、その生涯は謎につつまる。ロマンチックな歴史的逸品」

「《消え失せた皇太子》のことだな」とエラリイはつぶやいて、「ところでボンドリングさん、これはほんとうの話でしょうか？」

「なにぶんわたしは弁護士でして」と、来訪者はいってのけた。「歴史が専門でありませんからな。しかし、これにはいろいろ証明する文書が付随しております。たとえば、そのころイギリスに名高かった名女優で、フランス王家の友人でもあったレディ・シャーロット・アトキンズの書いたものもあるんです。まちがいのない自筆で、内容の真実を証するために、サインまでしてあります。え？　その内容？　つまり、彼女は革命当時、フランスにいあわせて、この人形を手に入れたというんです。しかし、エラリイさん、そんなことは、どうでもよいことで、たとえ出所がまちがっていても、ダイヤモンドさえほんものなら、それでもう、じゅうぶんではないでしょうか」

「その十一万ドルという人形を中心にすれば、基金づくりなんかかんたんでしょう。それともなにか厄介な事件が起きたんですか？」

「ご明察！」ボンドリングは指の関節を鳴らして、心痛の意をあらわした。「遺志によって、孤児のために基金をつくりますには、あのコレクションのうち、役に立つものは、この皇太子人形だけなんです。ところが、老婦人はどんなことをしたと思います？　遺言に、こんな条項がはいっているんです。クリスマスの前日に、シサリーア・イプソン・ドルレクションを、一般の観覧に供すべし……展示場所は、ナッシュ・デパートの一階！　クリスマスの前日ですぞ、諸君！　考えてみてください！」

「でも、なぜ、そんな？」

とニッキイが不思議そうな顔をした。

「なぜ？　理由なんかあるもんですか！　ニューヨークのがきどもをよろこばせるだけですよ。なにしろ、クリスマス前日のナッシュ・デパートです。どのくらいいなか者がおしかけるか、わかったもんじゃありません。うちの料理女——これはもう、とても信心ぶかい女ですが——その話によると、聖書に出てくるハルマゲドン、世界のおわりの、善と悪との決戦場とは、こんなものかと思うようなさわぎだそうで——」

エラリイは眉をひそめていった。

「クリスマス前日といえば、あすじゃありませんか」

「それは心配なことね」

とニッキイも、不安そうにいったが、すぐにまたあかるい表情にもどって、

「だいじょうぶよ、ボンドリングさん。ナッシュのほうで断ってきますわ」

「断りますって!」ボンドリング氏は吠えはじめた。「老婦人イプソンは、あの人寄せ好きなデパートと、数年まえから契約してあったんです。彼女が死んだその日から、デパートのほうで、わたしを追っかけまわしている状態なんです」

警部はいまだに、台所のドアに眼を釘づけだが、それでも不安そうに、こんなことをいった。

「おそらく、ニューヨーク中の悪漢が集まることになるな」

「孤児が大事ですわ」とニッキイがいった。

「孤児のためのお金はどんなことをしても、守らなければなりませんわ」

そして彼女は、責めるような視線を、エラリイにむけた。

「特別の警備がいりますね、お父さん」と、エラリイもいった。

「そうだとも、その手配をすることだ」と警部は立ちあがって、「いや、ボンドリングさん、ご心配にはおよびません。その点、ぬかりありませんから。で、きょうのところは、これで――」

「クイーン警部」とボンドリング氏は、ますます緊張して、からだをいっそう、前へのり出すと、「話はまだ、おわっていないんです」

「ほう」とエラリイも、急いでタバコに火をつけると、

「とおっしゃると、だれか特別に、それをねらっているやつが、いるというのですか？ そいつがだれか、ご存じなんですか？」

「知っております」弁護士はうつろな表情で、「いや、顔は知りませんが、その男というのは、コーマスなんです」

「コーマス！」

警部が、かん高く、さけんだ。

「コーマス？」

エラリイが、ゆっくり、いった。

「そのコーマス？」ニッキイがきいた。「どんな男？」

「けさのことで、わたしの事務所へおしかけてきました。堂々とね――たぶん住居から

ずっと、わたしのあとをつけていたにちがいありません。わたしが事務所について、オーヴァをぬぐかぬがぬうちです。秘書もまだ、出勤していませんでした。大胆に、事務所へはいってくると、わたしの机の上に名刺をおくのでした」

エラリイがすぐにいった。

「いつもの伝ですね、お父さん」

「やつのトレイド・マークさ」

と警部は、わめくような声を出した。

「その名刺には、《コーマス》とあるだけなのね」ニッキイは好奇心を燃やして、「その男はいったい――」

が、警部はいらだって、大声でどなって、

「それから、どうしたんです、ボンドリングさん？」

ボンドリングは、頬をながれる汗を、ハンカチで拭いながら、

「そしてかれは、しずかにこういいました。あす、ナッシュ・デパートで、皇太子人形をいただくからな……」

「まあ、気ちがいじみているわ」とニッキイがさけんだ。

「ボンドリングさん」警部は緊張のあまり、おそろしいような声を出した。「そいつ、どんな男でした？」

「外国人みたいでした——黒いあごひげをはやして、どこか、たどたどしい話ぶりでした。もっとも、正直にいいますと、わたしはすっかり、ふるえあがっていまして、こまかなことまで憶えていないのです。帰っていったあとも、しばらくはそこを、動けなかったくらいで——」

クイーン父子は、たがいに肩をすぼめあった。フランス人風に。

「いつもとおなじで、つかみどころのない話さ」すっかり鼻白んだ表情で、警部はうなった。「やつの姿を見た連中で、ひとりとして、なにも憶えておらん。あごひげと外国なまり、いつもそれだけだ。ところでボンドリングさん、厄介な問題ですぞ。コレクションはどこにおいてあります?」

「生命保険信託銀行の四十三丁目支店の地下金庫です」

「ナッシュ・デパートへは、何時に運びこむ予定です?」

「デパートでは、きょうの夕刻にしてくれというんですが、それはまずいといっておきました。銀行と特別の打ちあわせをして、明朝、七時半に移動させることにしました」

エラリイは考えこんでいたが、父親の顔をちらっと見て、

「その時刻だと、店をひらくまでに、あまり時間がありませんね」

警部が、きびしい顔つきでいった。

「では、ボンドリングさん。人形の陳列も、われわれにまかせなさい。念のために、き

ょうの午後、もう一度、電話してもらいましょうか」

「お引受けねがえて、ほっとしました。これでわたしも――」

「安心なさるのは、まだ、はやいですよ」警部はますます不きげんになって、「相手はなにしろ、コーマスですからね」

ボンドリング弁護士が帰ってしまうと、クイーン父子は額を集めて、相談をはじめた。例によって、しゃべるのはほとんど、エラリイだった。そして最後に、警部は寝室へ、警察本部への直通電話をかけに行った。

そのあとで、ニッキイがいった。

「お願いしますわね。あなたがたおふたりが策を練ったら、バスティーユ監獄の防禦だって心配ないはずよ。それはそれとして、このコーマスって、どんな男ですの？」

「そいつがいまだに、わからんのだよ、ニッキイ」とエラリイが答えた。「こいつが活動をはじめて、すでに五年はたっているんだが、いまもって、正体が不明なんだ。いってみれば、ルパンの伝統をひいた男だな。目から鼻へぬけるというか、おそろしく頭のいい男でね、もっぱら、美術品専門にねらってくる。しかも、文字どおり不可能な情況のもとに非常に高価な品を盗むことに、特殊のよろこびを感じているらしい。それにまた、扮装の名人でね、十二通りもの変装を心得ている。とにかく、すばらしい役者だ。捉まったことがないばかりか、写真をとられたこともなければ、指紋ひとつ、のこしていないのさ。度胸がよくて、煙のようにあらわれ、煙のように消え去る——おそらく、アメリカ合衆国はじまって以来の大泥棒だろうな」

「一度も捉まっていなければ」とニッキイが疑わしそうにいった。「どうしてその犯罪が、コーマスの仕業とわかりますの？」

エラリイはさびしく笑って、

「その手口でわかるのさ。つまり、アルセーヌ・ルパンをまねて、犯行現場に、名刺をのこしていく。《コーマス》の名のついたやつをだよ」

「するとその男、いつも、こんどのようにあらかじめ予告するんですか？　王冠の宝石を盗むぞなんてことを？」

「いや、そうじゃない」とエラリイは眉をひそめて、「ぼくの知っているかぎり、こんなことははじめてだ。これまでの手口からみても、この男が無意味な行動をするわけがない。それから考えると、けさ、ボンドリングの事務所にあらわれたのも、やつの計画の一部にちがいない。もしかすると、——」

そのとき、居間の電話が高らかに鳴りひびいた。

ニッキイはエラリイを見た。エラリイも電話機を見つめている。

「ひょっとしたら、これ——」とニッキイがいいだしたが、すぐ気を変えて、「そんなばかなことはありませんわね」

が、エラリイははげしい語調でいった。

「コーマスがからんでいたんでは、《ばかなこと》ということはあり得ないぞ！」

そしてかれは、電話機にとびついて、

「ああ、どなた？」ときいた。

「旧友からの電話ですよ」おもおもしい男の声が、どこかまた、そらぞらしくひびいてきた。「コーマスでしてね」

「よくかけてくれたな」

電話の声が、ほがらかに質問した。

「ボンドリング君の依頼は、あなたがた、引受けましたか？　あす、ナッシュ・デパートで、皇太子人形の盗難を防止するという件――」

「というと、きみはボンドリングが、ここへきたのを知っているのか？」

「クイーン君、知って不思議はありますまい。ぼくはあの男をつけていたんですから。ところで、ご返事をいただきたいですな。この事件を引受けましたか？」

「コーマス君」と、エラリイはいった。「ふつうだったら、きみに手錠をはめて、その高慢な鼻をへし折るよいチャンスと、とびつくところだが、こんどばかりは、その危険をおかしたくないんだ。この事件で人形が紛失でもすれば、親を失った子供の救済基金が怪しくなってくる。どうだろう？　われわれはきみに停戦を申し出る。ここはきみも、おとなしくひきさがってくれないか?」

が、電話の声は、しずかな調子で、こういった。

「いまさら、なんです。では明日、ナッシュ・デパートでお眼にかかりましょう」


こういったしだいで、十二月二十四日の早朝、クリスマス・ツリーを飾った生命保険信託銀行の窓の前、四十三丁目の凍てついた舗道の上には、クイーン父子と秘書のニッキイ・ポーター、弁護士のボンドリング氏など、登場人物の顔がそろうことになった。銀行の入口と外にとまっている武装トラックのあいだに、警官が二重の列をつくって護衛にあたっている。玄関からトラックへと、目下、シサリーア・イプソン・ドルレクションが、急流のような勢いではこびこまれている。氷のように冷えきった舗道には、もの見高いニューヨークっ子が、大挙して集っていた。無慈悲に吹きまくるクリスマスの寒風もよそに、無感覚な足ぶみをつづけて見物中だ。

ただでさえ、大きらいな冬のさなかに——エラリイ・クイーンは愚痴をこぼしていた。

「先生なんか、文句おっしゃることはなくてよ」とそばから、ミス・ポーターが苦情をひきとった。「ボンドリングさんと先生のかっこう、アラスカの探鉱者みたいですわ。さむいというのは、わたしのほうよ」

「これというのも、デパートの悪習のなせる業さ。PR精神の悪用だな」クイーン氏はとうとう、毒づきはじめた。

「きのうは、だれもが秘密厳守を誓ったんだが、さよう、われらが凶盗君をふくめてだ。それでいて、この弥次馬。おお、廉恥心よ！　クリスマスの精神よ！」

ボンドリング氏も泣きごとをいった。

「昨夜のうちに、ラジオが宣伝したんですよ。けさの新聞にも大きくとり上げられていましたし」

「やつらの腹をひき裂いてやりたい。おい、ヴェリー！　あの連中を追っぱらえ！」

ヴェリー巡査部長は、銀行の戸口につっ立って大声をはりあげた。

「邪魔だ、邪魔だ。みんな、どくんだ！」

わが善良なる巡査部長は、このさき、どのような運命がかれを待っているとも知らず、いい気なもので、どなっていた。

ミス・ポーターは、顔のいろまで青く変えて、

「ものものしいわね。武装トラック、機関銃――」

「ニッキイ、コーマスは予告しているんだぜ。ナッシュ・デパートで、フランス皇太子人形を盗んでみせるとね。そこがやつの戦略さ。そう思わせておいて、途中で奪いとる腹なんだ」

「もっと早く、運びこめないものでしょうかね」とボンドリング氏は、ふるえながらい

った。「ああ、ああ！」

突然、クイーン警部の姿が、銀行の玄関口にあらわれた。両手でしっかり、宝物をつかんでいる。

「あっ！」とニッキイがさけんだ。

ニューヨークっ子の大群衆が、一斉に口笛を吹き立てた。荘重荘厳な光景！　デモクラシーなど、くそくらえだ！　舗道の上の群衆も、腹の底は小児と同様、権威が大好きなロイヤリストばかりなんだ。

ニューヨークっ子たちの口笛のうちに、巡査部長トーマス・ヴェリーは、クイーン警部の前に立って、あたりをながめまわしながら足を運んだ。クイーン警部のほうは、皇太子人形をしっかりと抱きしめて、警官たちの整列のなかを駆けだして行った。

いつのまにか姿を消していたエラリイも、そのすぐあとに、武装トラックのドアから顔をみせた。

「仰々しくてきらいですけど」とミス・ポーターも、眼を輝かせて、ボンドリング氏にいった。「どきどきしてくる場面ね」

ボンドリング氏は心細そうに、首をのばしている。

鈴を鳴らしてサンタ・クロース登場

サンタ　しずかに、しずかに。落ちついてください、みなさん。ところで、あれが、ゆうべ、ラジオがしゃべっておった人形ですな？
ボンド氏　うるさい！　どいてくれ！
ニッキイ　まあ、ボンドリングさん！
ボンド氏　あんな男が、ここに用のあるはずがない。帰ってくれ、さあ、サンタ、帰るんだ！
サンタ　どうかしましたかな。腹ぐあいでもわるいんですか、痩せっぽちの癇癪もちさん？　きょうが、どんな日かお忘れかな。クリスマスには情けが大切。
ボンド氏　そ、そんなことは……じゃ、頼む。頼めば、いいんだろう？　どうか、帰ってくれ……
サンタ　きれいな人形でしたな。実にすばらしいものだ。あれをどこまで運ぶんです？
ニッキイ　ナッシュ・デパートよ、サンタさん。
ボンド氏　ここをどくようにいってください……ああ、巡査！　警官！　この男を……

サンタ　（あわただしく）お嬢さん、あなたのやさしい気持に、贈りものをさしあげましょう。サンタからのお祝い。メリー・メリー・クリスマス！
ニッキイ　まあ、わたくしに？　（サンタ鈴を鳴らして、すばやく退場）ボンドリングさんたら、ああまで邪慳になさらないでも……
ボンド氏　あんなものは、大衆への阿片ですぞ！　で、あのまやかし野郎め、なにをおいていきました？　なんです、その封筒の中身は？
ニッキイ　わたしが知っているわけはありませんわ。まあ、宛名はエラリイとあってよ、エラリイ！！！！
ボンド氏　（興奮して退場しながら）やつ、どこへ行った？　おい――警官！　子供たちをだまして歩くやつを追っかけるんだ！　サンタ・クロースだぞ……！
エラリイ　（早足にて登場）なんだ、ニッキイ？　どうかしたのか。なにが起こった？
ニッキイ　サンタ・クロースの扮装をした男が、この封筒を渡して行きました。宛名は先生になっていますわ。
エラリイ　手紙だって？　（ひったくるようにして、なかから貧弱な用箋をとり出す。ブロック字体で鉛筆書きがしてある。もったいぶった口調で、高らかに読みあげる）親愛なるエラリイ君、きみはぼくのことばを信じぬようだな。皇太子人形は、ナッシュの店内で、本日、盗んでみせるといった。ことばどおり、犯行場所は、買い物の中心、大百貨店内だ。きみの忠実なる友——

ニッキイ　（のぞきこんで）《コーマス》とありますわ。まあ！　あのサンタ・クロースが！

エラリイ　（唇をぎゅっとかみしめる。氷のような風が吹きすぎる）

さすがの名探偵も、この凶盗が、なみたいていの相手でないことを知らされた。コーマスの魔手を防ぐには、ひと通りやふた通りの工夫では足らぬようだ。

ナッシュ・デパートでは、警官たちは陳列係に、留め継ぎ陳列ケイスのおなじ形のものを、四個提供させた。それをつなぎあわせて、中央にできた空所に、高さ六フィートの演壇状のものを据えつけた。周囲をかこむ陳列ケイスのプラスチック製の段に、おびただしい数の人形を、ずらりならべ立てた。高くそびえている演壇状の台上には、カシ材に手彫りをほどこした大型椅子を安置した。この椅子もやはり、美術家具部からくすねてきたものである。北の国の最高神オータンの宮殿を飾る円形玉座を思わせて、バラ色に照り映える巨大なその椅子には、ニューヨーク警察本部の巡査部長トーマス・ヴェリーが、あたえられた役柄に応じて、まっ赤な服、にこやかなマスク、そしてまたまっ白なあごひげによって、正体を隠せたことに感謝して、それでもなお、むっつりと、不きげんなままに控えていた。

これだけが、しかし、すべてではない。陳列ケイスから六フィートはなれたところに、これも六階の裏側にあるガラス製家具部の陳列場から借りてきた飾り窓用の板ガラスで、高さ八フィートの仕切りがつくられている。クローム材の支柱でつないで、一点のくもりもないガラス板を透して、なかに陳列された人形が一目でながめられる。一個所だけ、厚いドアになっているが、これもまた、大ガラスがはめこんであることにかわりない。このドアには、厳重に鍵をおろしてあり、その鍵は、エラリイ・クイーン氏のズボンの右ポケットにおさまっているのである。

時は午前八時五十四分。クイーン父子、ニッキイ・ポーター、弁護士ボンドリング――これらの人々が、デパートの幹部たちといっしょに、私服の大軍に立ちまじって、ナッシュ・デパートの一階に飾りつけた、かれらの努力の結晶を見わたしていた。

最後に、クイーン警部が、つぶやくように、「だいたい、これでよさそうだ」といってから、こんどはいちだんと、声をはりあげて、「おい、みんな！　自分の部署につけ。ガラスの仕切り壁に沿ってだぞ」

さまざまなかっこうの私服警察官が、二十四名、たがいに肩をすりあわさんばかりにして、ガラス仕切りの前にならんだ。そして、仕切りの中のヴェリー巡査部長を、にやにや笑いながら眺めている。玉座にかまえたヴェリー巡査部長は、仏頂づらでにらみかえしていた。

「ハッグストロームとピゴットは、ドアの警備だ、だれも通すんじゃないぞ！」

ふたりの刑事は、仲間の一隊とわかれて、ガラス・ドアにむかった。ボンドリング氏が、クイーン警部をひっぱって、

「これ、まちがいのない人たちでしょうね、クイーン警部？」と小声でいった。「もしや、このなかにコーマスがいたら」

「よけいな心配はやめなさい」とわが老警察官は、そっけなく、いってのけた。「警備のほうは、われわれにまかせておくこと——」

「しかし——」

「では、どの男です、ボンドリングさん？　これはみな、わたし自身、選んできた連中ですぞ」

「なるほどなるほど。いえ、その、警部さん、わたしはただ——」

「ファーバー係長！」

警部の声に応じて、うす青い眸の小男がすすみでた。

「ボンドリングさん、これがジェロニモ・ファーバーといいましてな、警察本部で、宝石関係をあつかっています。——なんだ、エラリイ、用か？」

エラリイはフランス皇太子の人形を、その大外套のポケットからとり出して、

「いいですか、お父さん、これはぼくが、手からはなしませんよ。このままで、調べてもらいます」

だれかが、うおーお、といった声を出した。そして、そのあと、沈黙がつづいた。

「係長、せがれの手にあるものが、有名なフランス皇太子人形なんだ。冠に、ばかでかいダイヤモンドがはいっているだろう」

「おっと、係長、さわらんでもらいますよ」エラリイがいった。「だれにもさわらせたくないんでね」

「こいつは」と警部はつづける。「銀行の地下金庫から出してきたばかりなんだが、ここにおられるボンドリングさん、このかたは、イプソンの遺産をあつかっておられる弁護士さんだ。で、このかたの話では、このダイヤは正真正銘のものにまちがいないそうだが、いちおうきみに鑑定してほしいんだ。遠慮のないところをいってくれよ」

ファーバー係長は、拡大鏡をとり出した。エラリイは人形をにぎったままで、ファーバーにさわらせようともしなかった。

けっきょく専門家はいった。

「人形がほんものかどうかはわたしの知識のほかですがね。ダイヤのほうは、みごとなもんでさ。現在、市場に出せば、かるく、十万ドルの声が聞えますね。もうちょっと、上かもしれないな。セッティングだってしっかりしたもんだし」

「ご苦労だった、ファーバー」と、警部はいった。「エラリイ、ほんものだそうだ。では、おまえの仕事にとりかかれ」

エラリイはまた、人形を手に、ガラス・ドアへ、ずかずかとちかづいて鍵をあてがった。あとで弁護士のボンドリングは、警部の毛深い耳もとにささやいた。

「あのファーバーという男——警部さん、あの男の素性に、まちがいはないでしょうね?」

「ほんもののファーバーですよ」警部は、癇癪をおさえるのに苦しみながら、「ボンドリングさん、わたしはあの男と、十八年間もいっしょに、仕事をしているんですぜ。もっと、落ちつくことですな」

陳列ケイスまで、慎重な歩みをすすめると、エラリイは人形を高く捧げて、こんどは急に、いそぎ足になり、中央の台座に近づいて行った。

ヴェリー巡査部長は泣き声を出した。

「名探偵さん、あたしはまた、一日じゅう、ここから動けないんですか? 手洗いにも行かせてもらえないんですか?」

しかし、クイーン名探偵は返事もせずに、からだをかがめて、床から小さな、それでいて、相当目方のありそうな物体をとりあげた。

黒びろうどを、底部と背面に貼って、クロームの両腕でささえてあるものだが、それを、ヴェリー巡査部長の、大きな足のあいだにすえた。

周到な注意をはらって、そのびろうどの上に、フランス皇太子人形を安置すると、かれはまた、陳列ケイスのドアの外へ出て、鍵をかけ、さて、これでよいかと、もう一度、なかのようすをながめた。

皇太子のおもちゃは、誇らしげな姿を見せている。その小さな金冠についたダイヤモンドは、この大百貨店の所有にかかわる、もっとも強力な投光照明を、十二個も浴びて、青白い電光にも似た光の箭を放っている。

「ヴェリー」とクイーン警部が声をかけた。

「その人形に、手を触れるなよ。指でさわることも、ゆるさんぞ」

巡査部長は、ただ、があーあ、といっただけである。

「みんな、部署についたか。群衆に気をとられてはいかん。おまえらの仕事は、なかの人形を監視することだ。きょう一日、ほかへ眼を移すんじゃない。どうです、ボンドリングさん。これなら、満足できるでしょう？」

ボンドリング氏はなにかいおうとしたが、そのかわりに、いそいでうなずいて、

「エラリイさん、どうでしょう、これで？」

名探偵はほほ笑んで、

「これで、あの人形に近づくには、ねらいさだめて、巨砲をぶっぱなすか、呪文、まじ

ないの力を借りる以外にないのです。さあ、諸君、表の扉をあけてよろしい！」

かくて、はてしもなく長い一日がはじまった。《ディエス・イレー、怒りの日》クリスマスの買い物最後の日。これは伝統的に、買おうか買うまいか、迷いの日。そのくせ、まだなにか、買い忘れたものはないかと、けっきょくは、たえまなく動きつづける。《時》のポンプの力に負けて、販売市場の渦へと吸いこまれていく。この世に平和があるとすれば、それはこの日のあとにくる。いったん、買物市場に出動したとなると、どんな淑女であろうと、他人への遠慮は忘れてしまう。まことに、ミス・ポーターの表現を借りれば、魚かごをねらう猫のほうが、はるかにキリスト教徒といえるのだ。

だが、この十二月二十四日のナッシュ・デパートには、数千名にのぼる子供たちの群れがおしよせて、例年の喧騒が、精神病院的なものにまで拡大されていた。まことに、詩篇作家のことばのごとく、《年壮(わか)きころおいの子は、ますらおの手にある矢のごとし。矢のみちみちたるえびらをもつはさいわいなり》だ。が、その日、ミス・イプソンの人形を《まもるものは、手に弓矢もつ衛士》にはあらで、レヴォルヴァーをポケットにした刑事たちである。人形守護はとにかく、この少年少女の群れにおしよせられて、よくぞレヴォルヴァーを使用しなかったものだ。それは、ニューヨークの刑事諸君の、英雄的ともいうべき自己修業の賜である。もともと、きょうのデパートの一階は、まっ黒い人の渦がうず巻き流れる日といえる。そのなかから、電気に打たれたやなぎばえみたいに、つつつと小さな子供たちが飛び出してくる。それを、あとから、興奮した母親の悲鳴が追いかける。そうかと思うと、うれしさに夢中になったがきどもに、すね、しり、足さきと痛めつけられて、おとな連中は罵声をあげている。《聖なる》クリスマスどころの騒ぎではない。弁護士のボンドリング氏も、無邪気にして残忍な子供たちの攻撃にいためつけられたひとりで、分厚な大外套を盾にしているだけ仕合わせだった。法のための守護者にいたっては、店員と同じ服装をするように厳命されているので、オーヴァで身をまもるわけにいかない。かれらはいわば、水車のまわる溝のなかに立たされたようなもので、周囲ではたえず、子供たちの渦が巻いている。口々に、人形だ、人形だ！と叫び立てるのだが、やがてはその、幾千という小さなさけびが、その本来の家族的なごやかさが失われて、おとなたちを招きよせ、ダイヤモンドの光に眩惑させ、破滅の淵へとひきずりこむローレライの呪いに変るのだった。

それでも刑事たちは、それぞれの部署に、しっかりと踏みとどまっていた。

これでは、さすがのコーマスでも、手も足も出せなかった。その計画は挫折させられた。しかし、かれが手を打ってこなかったわけではない。午前十一時十八分、足もともおぼつかない老人が、小さな子供の手にすがりながら、ハッグストローム刑事の前に現われた。ガラス・ドアの鍵をあけてくれというのだ。あけてくだされば、この孫坊主に

──ええ、これがあんた、ひどい近視でしてな──あの可愛い人形を、もっとよく見させてやることができるんです。

が、ハッグストローム刑事が、大声にどなりつけた。このばか野郎！　すると、どうだ、老人は子供の手をふりはらうと、目にもとまらぬすばやさで、人ごみの中に姿を消してしまった。子供をつかまえて調べてみたところ、ママにはぐれたんで泣いていたら、さっきのおじいさんが、ママのところへつれていってやるといったんだ──との話だった。子供の名はランス・モルガンスターン。さっそく、遺失物および迷子係に引渡された。この出来事は、かえって全員に、満足をあたえた。凶盗がいよいよ、攻撃を開始したからだ。ただ、エラリイ・クイーンだけが疑わしそうに眉をひそめていた。ニッキイにそれをつかれて、ひと言、答えた。──あまりにも、やりくちが間ぬけすぎるからさ。かれらしくもない。

午後一時四十六分、ヴェリー巡査部長が信号を打ちあげた。どうやら、生理的欲求らしい。クイーン警部の返信は、《オーケー・十五分間だけ》とあった。サンタ・クロース巡査部長ヴェリーは止り木からはなれることができた。陳列ケイスをまたいで越えると、まっしぐらに、ガラス・ドアのこちら側へすっ飛んできた。

エラリイはそのあと、ドアにすぐ、鍵をおろした。まっ赤な服装の巡査部長は、一階の男子便所の方向に、いそぎ足に消えていった。あと、聖なる壇上には、フランス皇太子人形だけが、ぽつんとひとつ、のこっていた。

　巡査部長が退場している間、クイーン警部は部下のあいだをまわって、その日の朝の命令を、再度、くりかえして聞かせた。

　ヴェリーが自然の要求に応じたエピソードは、ちょっとした危機を招くことになった。限定された十五分が終っても、かれはもどってこないのだ。三十分たっても、あらわれなかった。便所まで、ようすを見に行ったものが、巡査部長はいませんぜと報告した。邪悪の手が、いよいよ、かれの身におよんだにちがいない。

　たちまち、緊急会議がひらかれ、対策が論議された。すると、その最中、午後二時三十五分に、見なれたサンタ・クロースのかっこうで、マスクをいじりながら、巡査部長の大きな図体が、人ごみを、縫ってあらわれた。

「ヴェリー」クイーン警部がどなりつけた。「どこへ行ってたんだ?」

「食事ですよ。きょう一日、つらい思いをするのは、覚悟のうえだが、飢え死にしなけりゃならんわけでもないでしょう?」

「ヴェリー――!」

　と、どなってはみたものの、警部はそのあと、喉をつまらせた。よわよわしく、エラリイに手をふって、

「おい、この男をもどしてやれ」

事件らしいことといえば、それくらいのものだった。しいてあげれば、もうひとつ、午後四時二十二分に起こったことがあった。ごてごてと着飾って、頬をまっ赤に塗りたくった婦人が、ものすごい声をはりあげた。おまわりさん、つかまえて！　どろぼうよ！　あたしの紙入れ、とってったわ！……それは、イプソン展示会から、五十フィートとはなれていない場所だった。

エラリイは即座にさけんだ。「気をつけろ！　トリックだぞ。人形から目をはなすんじゃない！」

つづいて、ボンドリング弁護士も、クイーン警部とヘス刑事が、弥次馬のなかで、その女と格闘しているのを見ながら、大声にわめいていた。

「そいつ、コーマスですぞ。女に変装しているんだ！」

女の顔はアニリン染料で染めあげたようにまっ赤だった。

「なにをするのよ！」彼女はさけびつづけた。「あたしを捉えてどうするのよ——つかまえるのは男のほうよ。紙入れをとって行ったんだわ！」

警部はそれをきめつけた。

「ごまかすな、コーマス。そのメイキャップ、ひっぱがしてくれ」

「コッ、コーマス？」女は大声に、「なにをいってんの。あたしの名はラファティよ。このまわりの人、みんな見ていたわ。口ひげをはやしたでぶの男だったわ」

ニッキイ・ポーターが人目を避けて、彼女のからだの内々の調査——それは科学的というべきものだった——をすませてから、警部の耳もとでささやいた。

「これ、ほんとうの女性よ。まちがいありませんわ」

証明されては仕方がない。コーマスは、口ひげのあるでぶのほうだったのだ。あまりにも厳重な警戒に手を焼いたかれは、人さわがせをさせて、その結果の混乱に乗じようとしたにちがいない。

「それにしても、古い手だな」

エラリイは爪を咬み咬み、つぶやいた。

「これでもわかるが」警部はにやっと笑って、「やつもとうとう、音をあげたらしいぞ。こいつは最後のあがきなんだ」

ニッキイはつまらなそうに、

「正直なところ、わたし、ちょっと失望しましたわ」

「ぼくはかえって」とエラリイはいった。「心配になってきたよ」

とはいうものの、そこは古強者のクイーン警部で、犯人の気がよわったからといって、警戒をゆるめるほど軽率ではない。五時三十分、閉店時間のベルが鳴って、群衆がぞろぞろと、出口のほうへむかいだすと、かれはあらためて、部下一同に命令を発した。

「持ち場から動くんじゃないぞ！　人形から眼を放すなよ」

刑事全員は、店内がからになりだしても、見張りをつづけておらねばならなかった。店員が、ぐずついている客を追いたてている。エラリイは案内係の席につっ立って、のこった客を見つけるたびに、手をふっては知らせていた。

午後五時五十分、一階では、戦闘は完全に終結した。落伍兵の群れも、残らず追い出された。眼につく連中といえば、階上から閉店のベルで追い立てられてくる敗残兵ばかりで、これは、エレヴェーターから吐き出され、刑事たちの堅固な列のあいだを通り、店員によって出口へと導かれた。

六時五分、すでに人影はまばらだった。六時十分、まばらの人影も消え失せた。そして最後に、店員そのものが散りはじめた。

「まだだぞ！」

エラリイはその監視台から、するどくさけんだ。

「店員がぜんぶ帰ってしまうまで、部署をはなれてはいけない！」

あるものは陳列ケイスばかり。それについている店員の影もなかった。

ヴェリー巡査部長の悲しげな声が、ガラス・ドアのむこうからひびいてきた。

「そろそろ家へ帰って、クリスマス・ツリーを飾らなけりゃ——名探偵さん、ドアをあけてはくれませんか」

エラリイは監視台から飛び降りて、巡査部長を解放してやるために歩きだした。ピゴット刑事がひやかすように、

「いいじゃないか、ヴェリー、あすの朝、そのまま、サンタ・クロースのかっこうで帰るのさ。子供たちがよろこぶぜ」

巡査部長はミス・ポーターがいるのも忘れて、マスクの下から、四文字のことばを吐いた。そしてまた、どたどたと、男子便所へむかって駆けだしていった。

「おい、おい、ヴェリー、どこへ行くんだ?」と警部も、笑いながら、「家へ帰るんじゃなかったのか」

「そのまえに、この厄介なサンタの衣裳をぬがせてもらいますよ」

巡査部長は、またマスクの下から、おしつぶしたような声を出して、仲間の刑事の爆笑のうちに、姿を消した。

「エラリイ」と警部は、にやにやしながら、「まだ心配かね?」

「どうも解せない」エラリイは首をふって、「ボンドリングさん、とにかく、あなたの皇太子人形は、だれの手にもさわられずにすみましたよ」

「そうです。おっしゃるとおりで」ボンドリング弁護士は、うれしそうに額の汗を拭って、「わたしもまた、案外、無事にすんだので、おどろいているんです。コーマスというのも、それほどの男ではなかったんですな。世間のほうが、さわぎすぎたんですよ」

が、急にまた、警部の腕をつかんで、

「また、だいぶ大勢、集まりましたね」と、小声でいった。

「なんです、この連中?」

警部はあいかわらず、上きげんで、「気にすることはありませんよ。人形が銀行へもどるのを見物にきたんです。ところで、ボンドリングさん、これから、皇太子人形を地下金庫へもどすんだが、やはりわれわれの手で運んだほうがいいでしょうな」

エラリイは警察本部の連中に、弥次馬を追いはらっておけと、しずかにいって、警部とボンドリング氏といっしょに、ガラス仕切りのなかに入って行った。陳列ケイスをふたつどかして、なかの台座に歩みよった。フランス皇太子人形は、親しげな、微笑をもらしていた。かれらはそれを見下ろして立っていた。

ボンドリング弁護士は、ほがらかな声を出した。

「いまとなってみると、ばかみたいな話でしたね。きょう一日、気をもんでいたなんて」

「しかし、コーマスには、なにか計画があったにちがいない」とエラリイが、口の中でつぶやいた。

「それはそうさ」警部がいった。「まず最初、老人に変装した。そのつぎに、女の財布を盗んだ」

「ちがいますよ、お父さん、もっと気のきいた方法のはずです。あの男の手口はいつもかならず、あっといわせるものだった」

弁護士は、やれやれといった顔つきで、

「なんにしても、ダイヤモンドはちゃんとしていますな。これは盗めなかった」

「変装か……」エラリイはまだ、つぶやいている。「きょうの事件は、はじめから変装がともなっている。サンタ・クロースの衣裳――かれはそれを、一度、使った――けさ、銀行の前で……ほかに、この辺で、サンタ・クロースを見かけなかったかしら？」

「ヴェリーだけだよ」あいかわらずにやにやして、警部がいった。

「まさかあれが――」

「ま、待ってください」ボンドリング弁護士が、おかしげな声を出した。かれは大きな眼で、皇太子人形をみつめている。

「なにを待つんです、ボンドリングさん？」

「どうかしたんですか？」

エラリイも、おなじように、おかしな声でいった。

「しかし……そんなことはありえない……」ボンドリングは口淀みながら、黒びろうどばりの台座から、人形をつかみあげた。

「ちがう！」とかれはさけんだ。「これは、皇太子人形じゃない！　にせもんだ！――

模造品だ！」

エラリイの頭に、ひらめいたものがあった――カチッと、スイッチをひねったように、光が射したのだ。

「おい、だれか！」と吠え立てた。「サンタ・クロースをつかまえろ！」

「だ、だれです、エラリイさん？」

「なんだ、エラリイ」クイーン警部もあえいで、「だれをつかまえるんだ？」

「どうかしたのかね」

「さっぱり、わからんが」

「ぼんやり、つっ立っているな！　つかまえるんだ！」エラリイはじだんだ踏んで、さけびつづけた。「いまここから、出してやった男だ。あいつを捉まえるんだ！　便所へはいっていったサンタだ！」

刑事たちが、一斉に駆けだした。

「だって、先生」ニッキイが小さな声で、「あれはヴェリー巡査部長じゃありませんか」

「ヴェリーじゃないんだ、ニッキイ！　二時まえ、ヴェリーが便所にはいったとき、コーマスに襲われたのだ。サンタ・クロースの衣裳でもどってきたのは、コーマスだった。ヴェリーの頬ひげとマスクをつけて！　午後はずっと、コーマスが壇上にいたんだ！」

かれはボンドリング弁護士の手から、皇太子人形をもぎとって、

「模造品……やつはこれとすりかえた。まんまと、やってのけたのだ！」

「しかし、クイーンさん」ボンドリング弁護士も小声で、

「あの声は？　わたしたちに話しかけたのは、たしかに、ヴェリー巡査部長の声でしたよ」

「そのとおりですわ、先生」ニッキイも相づちを打った。

「きのう話したじゃないか。コーマスはものまねの天才なんだ。ファーバー係長は？　ファーバー君はいませんか？」

宝石の専門家は、はなれた場所で、あっけにとられた顔をしていたが、首をふりふり、仕切りガラスのなかにはいってきた。

「係長」とエラリイは、喉を絞めあげられた声で、「このダイヤモンドを調べてくれたまえ……ほんものかね？」

クイーン警部は、顔から手を放して、

「どうだね、ジェリー？」

ファーバー係長は拡大鏡でのぞいていたが、

「これはいけません、シュトラスですよ――」

「なに？　シュ――シュ――」警部が悲痛な声を出した。

「シュトラスですよ、警部。人造ダイヤ――鉛ガラスなんです。しかし、よくできてま

すな。みごとなもんです――こんな上出来なのを見たのは、わたしもはじめてでして」

「おい、おれをサンタのところへつれていけ」警部はついに泣き声を出していた。

しかし、サンタ・クロースのほうがつれてこられた。十二人からの刑事の腕のなかで、あばれまわりながら、ひき立てられてきたのだ。赤い衣裳はひきちぎられ、赤いズボンも、足くびの辺までずりおちていた。頬ひげつきのマスクだけが顔にのこって、大男はわめきたてている。

「こんなまちがいってあるか。おれは巡査部長のトム・ヴェリーだぞ！　このマスクさえとれば、わかることじゃないか！」

「それが愉しみなのさ」ハッグストローム刑事は、逮捕者の腕をへしおらんばかりにして、「警部の前で、ひっぱがすのがね」

「あばれんように、おさえておくんだぞ」

警部の手が毒蛇のようにのびて、サンタの顔から、マスクをひきはがした。

が、それはやはり、巡査部長ヴェリーだった。

「なんだ、やっぱりヴェリーか」

クイーン警部はいかにも不思議だといった顔でいった。

「さっきからいってますよ。千回もくりかえしましたぜ」巡査部長は、毛だらけの、たくましい腕を、毛だらけの、たくましい胸の前で組んで、「それはそうと、おれの腕をへし折ろうとしたやつはどいつだ」とどなったが、とたんにハッとして、「あっ、いかん！　おれのズボンが！」

ミス・ポーターは、あわてて眼をそらした。ハッグストローム刑事が、いともいんぎんにかがみこんで、ヴェリー巡査部長のズボンをひきあげにかかった。

「そんなことは、ほっておけ」と、ひややかな声が聞えた。

それは、エラリイ・クイーンの声だった。

「なんですって？」むっとしたのか、ヴェリーはわめいた。

「ヴェリー、きみは二時前に、便所へ行ったが、そのときだれかに、襲われたんじゃないか？」

「このわたしが、襲われるような男に見えますか？」

「食事は、ひとりですか？」

「おそろしくまずい飯でしたよ」

「午後はずっと、人形のそばにいたのか？」

「ほかにだれがいますかね、名探偵さん」そしてかれは、仲間の刑事にむかって、「おれは、腕がむずむずしてきたぞ。なぜ、こんなまねをしたか、しゃべるんなら、はやくしてくれ。なんのためなんだ？　痼癪玉が」それでもかれは、おとなしくいった。「破裂しないうちに話したがいいぜ」

それきりかれは、むっとしたままだまりこんだが、二、三の刑事は、なんとかなだめようと、ごまかしの説明をはじめた。その間に、リチャード・クイーン警部は、せがれをとらえて、
「エラリイ、これはいったい、どうしてやってのけたんだろうな？」
「お父さん」と名探偵は答えた。「そのところは、ぼくにもわかりませんよ」

ひいらぎの枝で、ホールを飾る宵なのだが、この十二月二十四日、クイーン家にかぎっては、そうしたことも行われなかった。痛恨のゆうべ。ニューヨークじゅうのアパートで、ここ一室にかぎり、歌声ひとつ聞こえなかった。だれもが、みじめな思いで煖炉の火をながめていた。それでも、来客だけはあった。招かれた客は少なく、選りぬきの者ばかりだった。その数はわずかに二名。ミス・ポーターとヴェリー巡査部長、これがふたりとも、ふさぎこんでいた。

なつかしいクリスマス・カロルもよそに、はじめからおわりまで、沈黙ばかりだった。シサリーア・イプソンよ、地下の墓所に、泣き悲しめ。すべては無に帰したのだ。フランス皇太子の宝物は、もはや孤児たちのものではない。地下の金庫は空に、それは邪悪なインスピレーションに恵まれた怪しい男の手に帰してしまったのだ。

くだらぬ談話がなんになろう。空虚な知識をひけらかすは、賢者のとるべき道でない

であろう。多く語るは、罪を犯すものなりと、ユダヤの教典(タルマッド)が教えている。出すぎた仕業にわざわいあれ。すべての手だてを失ったいまは、隠忍自重、捲土重来を期すばかりである。

項目の一　ニューヨーク警察本部のジェロニモ・ファーバー係長は、フランス皇太子人形が本来の聖所におさめられるにあたり、その金冠を飾るにあたり、その金冠を飾るダイヤを精密に再検査し、その結果、ダイヤモンドは真正のもの。かれの鑑定によれば、十万ドルを越ゆる価値ありと報告せり。

質問　ファーバー係長のデパート内におけることばは嘘なりしか？

答　ファーバー係長は、（a）廉潔の人。数千回の試練により、（b）誘惑に負けぬことも証明ずみなり。（a）と（b）とは、つとにリチャード・クイーン警部の、神かけて保証するところなり。

質問　ファーバー係長は鑑定をあやまりしか？

答　ファーバー係長は宝石鑑定についての国家的権威。真正ダイヤと石化ガラスを見まちがういわれなし。

質問　デパート内のかれは、真のファーバー係長なりしや？

答　それまた、神かけて誓い得るところ。真のファーバー係長にて、偽せものには非ず。

結論　その朝、ナッシュ・デパートの開店に先立ち、ファーバー係長の鑑定を受けしは、真正のダイヤモンド、真正のフランス皇太子人形にまちがいなし。エラリイはそれら真正の品を、かれ自身の手により、ガラス張りの城砦のなかに運びこみ、真正のヴェリー巡査部長の、真正の脚のあいだに安置せり。

項目の二　終日――特に、皇太子人形を聖所に安置せし時より、模造品たることを発見するまで、換言すれば窃取もしくはすり換えの理論上、可能なる時間内に、仕切りうちに足を入れし者は、老若男女を問わず、サンタ・クロースこと、トマス・ヴェリー巡査部長以外に一人もなし。

質問　人形をすり換えたるはヴェリー巡査部長に非ずや？　真正の皇太子人形を、寛闊なるサンタ・クロース衣裳に秘め、再度、聖所を離れし機会に、コーマスに引渡したるに非ずや？　売り払いて、退職後の生計に備えるためか、当初よりコーマスの共犯者たりしものか？

答　（ヴェリー巡査部長によるもの）以下略――編者

裏付け　ヴェリー巡査部長が、終日、いかなる時においても、人形に手を触れざりし

ことは、

(クイーン父子、ミス・ポーター、ボンドリング弁護士はしばらくおくとするも)

特別指令を受けし練達なる警察官、二十数名の証言するところなり。

結論　ヴェリー巡査部長には窃取の機会なし。故にフランス皇太子人形は、かれの盗みしものに非ず。

項目の三　人形の監視にあたりし者の全員、終日、なんらの妨害支障をうくることなく、その任務を完了せることを証言す。時のいかんを問わず、ガラス仕切りの内外、直接間接の別なく、問題の人形に触れたるものは、ひとりもなし。
質問　人の知覚ほど不正確なるはなし。警察官の証言は信じるに足るや？　疲労、倦怠、その他の理由により、注意力を失いたる時はなきか？
答　なしと断定するは不可能なるも、蓋然率の法則にて、全員同時に、注意力を失いたる時ありとは考えられず、二回、その危険の考えられる場合ありしも、エラリイ自身その間、人形より眼を離さず、何人も近づかざりしことを断言す。

項目の四　それらの事実にかかわらず、閉店にあたり、真正の皇太子人形は消失し、無価値の模造品が入れ代りおるを発見せり。


「常識で考えられることじゃない」と最後に、エラリイがいった。

「天才的な手品師だ。そう、手品さ。むろん、奇術の手を使ったにちがいないんだが……」

「魔法だろう」と警部が唸った。

「集団的催眠じゃなくって?」ニッキイ・ポーターが示唆した。

二時間たって、エラリイがまた、つぶやくようにいった。

「コーマスは、すりかえるために、皇太子人形の偽せものを用意していたことになる。それもできないことではない。あれは、世界的に有名な人形なんだ。写真もあれば挿画もある。細かい記述もあることだし……用意はとにかくとして実行のほうは、どうやってしたんだろう? どうやって? どうやって?」

巡査部長が、そばからいった。

「なんどいうんです、おなじことを、四十二回はいいましたぜ」

「鐘が鳴りだしたわ」ニッキイが、ため息まじりにいった。

「鐘が鳴る。だが、たがために? わたしたちのためでないことはたしかね」

事実、その夜は、かれらにとって憂うつそのものだった。だが、セネカによって、真理の父と名付けられている《時》が、クリスマスのしきいをまたいだとき、ニッキイはおどろいて、眼をみはった。古く、栄える歌声が清らかな夜空にひびきわたるとともに、エラリイの眼に、光が射してきたのだ。《時》の歩みにつれて、その光がひろがって、それまで、苦しいゆがみを見せていた、かれの顔ぜんたいを輝かした。いつかそこに、平和が訪れていた。美しい平和が、理解に近づくことのできる平和が、……かれは高貴な顔をのけぞらせて、純真な小児の、歓ばしい笑い声を立てた。

「おやっ」

ヴェリー巡査部長が、きょとんとした顔でみつめている。

「おい、どうした？」

クイーン警部も肘かけ椅子から、なかば腰をあげた。そのとき、電話のベルが鳴った。

「すばらしい！」エラリイは叫んだ。「すばらしいことだ！　ニッキイ、どうしてコーマスは、すりかえをやってのけたかわかるか？」

「どこからなのかわかりませんが」とニッキイは、受話器をエラリイにわたして、「先生に電話です。かけているのは、《コーマス》。いまの質問は、本人に答えさせたら？」

「コーマスか」警部は、ちょっとひるんだところを見せていった。

「コーマス！」巡査部長もくりかえした。どうしてよいかわからぬといった顔つきだ。

「コーマスだって?」エラリイだけが元気な声を出した。

「よいところだ。やあ、コーマスか! 大成功、おめでとう」

「おほめにあずかって、恐縮だが」と、聞きなれたしぶい声がいった。

「一日、愉快なスポーツを愉しませてもらって、お礼の意味でかけているのさ。それにまた、クリスマス、おめでとうともいいたくってね」

「そのおめでとうは、こちらからいいたいところさ」

「勝利のよろこびか」愉快そうなコーマスの声がひびいた。

「で、孤児のほうは、どうする気だね」

「かれらにも、ぼくの祝福をおくるさ。といって、エラリイ君、きみに手間をかけさせるわけではない。その部屋のドアの外、ドア・マットをのぞいてみたまえ。ぼくからの贈りものだよ。では、クイーン警部と、ボンドリング弁護士によろしく」

　エラリイは微笑とともに、受話器をおろした。

　ドア・マットの上に、真正の皇太子人形が発見された。肝心なところ、ひとつをのぞけば、もとのままの状態で、小金冠に輝く宝石が欠けていたのだ。

　そのあとエラリイは、燻製肩肉（パストラミ）サンドイッチに手を出しながらいった。

「いたって単純な問題だった。すべては手品だったのだ。貴重な宝物は、だれも近づけぬ場所に、衆人環視のうちに飾ってあった。何十人かのじゅうぶんな訓練を積んだ人々が、鷹のようなひとみで見守っていた。一分間とて、その人々の眼からはなれることがなかった。人の手にしろ、道具にしろ、それに触れたものはなにもない。それでいて、危険な時間がすぎ去ると、それはいつか消え失せて、なんの価値もない模造品が入れかわっていた。奇怪なことだ。おどろくべき現象だ。人智をあざわらう奇蹟！　むろんそれはあらゆる魔術奇術がそうであるように、外観の不思議を無視すれば——そして、事実そのものを直視すれば、かんたんに解決できることだった。ただ、あのときのぼくに、それができなかっただけだ——それというのも、ぼくらの眼をくらまし、事実へ到達する道を封じるために、奇蹟が用意されていたからだ。

では、その事実とはなんであったか？（エラリイはいのんどのピックルへ手をのばして）それは、人形が仕切りガラスの中におさめられ、盗難が発見されるまでのあいだ、だれひとり触れた者がいないということだ。それは事実なんだ。したがって、その時間内には皇太子人形は盗まれていないはずだ。そして、結論はいたって単純に導かれる。人形が盗まれたのは、その時間外であるとね。

では、それは、展示をはじめる前か？　いや、それは考えられぬ。あの人形を、仕切りガラスのなかに運んだのは、このぼくなんだ。その前後に、ぼくの手以外、あれに触れたものはないはずだ。ファーバー係長にしたって、その例外ではなかったのだ。

といったわけで、皇太子人形の盗まれたのは、閉店時間のあととわかる」

エラリイは半分かじったピックルをふりまわして、

「では展示がおわって、ファーバー係長があのダイヤを、人造だと鑑定するまで、ぼく以外に、あの人形をいじった者がいるか？　それがひとりいた」

警部と巡査部長は、当惑した眼を見かわしていた。ニッキイもまた、ぽかんとした眼をみはっていた。

「ひとりって」ニッキイがいった。「ボンドリングさんですけど、まさかあの人を、数のなかに入れるわけにはいかないし――」

「なぜ、数に入れられない？」胡椒に手をのばして、エラリイがいった。「あらゆる事実が、そのときボンドリングが皇太子人形を盗んだことを教えている」

「ボンドリングが！」警部の顔が青ざめた。

「わからんな」ヴェリーがさけんだ。

「先生、まちがってますよ」とニッキイもいった。

「壇から人形を下ろしたのは、ボンドリングさんにちがいないけど、そのときはもう、すりかえられたあとでしたわ。あのひとがとりあげたのは、なんの価値もない偽せものだったのよ」

「それがかれの手品の中心だったのさ」とエラリイはもうひとつ、サンドイッチをつまみあげて、「あの男のとりあげたものが、なんの価値もない偽せものだと、どうして、だれにわかるのだ？　あの男が、そういったからじゃないか。それだけのことだ。かれがそういった。すると、われわれは、ばかなうさぎみたいに、そう思いこんでしまった。なんの根拠もないかれのことばを、福音書かなにかのように、そのまま信じこんでしまったのだ」

「たしかにそうだ」と父の警部はいった。「その数秒あとまで、現実に、調べてはみなかった」

「そのとおり」エラリイは、サンドイッチをほおばったままで、「そこに、ほんのすこしのあいだだが、混乱したままの時間があった。むろんそれは、ボンドリングの予想したところだった。ぼくは刑事に命じて、サンタ・クロースを捉まえに行かせた。つまり、この巡査部長をだ。一時的だが、それで、刑事たちの態勢がくずれた。お父さん、あんたもあわてておられた。ニッキイにいたっては、天井が落ちてきたような顔になっていた。ぼくまでが、興奮して、説明を求めていた。刑事の一部は駆けだし、あとの連中はただうろうろと、歩きまわっていた。

そのような混乱のあいだ、わずか数分のあいだとはいえ、ボンドリングの手にある人形に眼をつけているものはなかった。真正なものなのに、みながみな、偽せものと信じきっていたからだ。ボンドリングは、そっとそれを大外套のポケットにすべりこませ、べつのポケットから、その日一日、そこにひそませておいた模造品をとり出した。ぼくがふりかえって、かれの手からひったくったのは、すでにすりかえられたあとの品だった。それで、かれの手品は完成した。

知ってしまえばつまらぬことさ。だからこそ、手品師たちは、職業上の秘密となると、命がけで隠そうとする。知識こそ、魔術の力から解放させるものだ。かつて、フランスの奇術師コーマスが、かつらをつけたロンドンの観衆の前に、テーブルの上から妻の姿を消してみせた。そのときの、信じがたいまでの驚愕も、彼女が落ちこむすべりドアの存在を知っていたら、観客はなんの感動も起さなかったにちがいない。よきトリックは、よき婦人と同様、闇のなかでこそ最上なのだ。巡査部長、パストラミをとってくれ」

巡査部長はいわれるままに、パストラミの皿をひきよせて、

「クリスマスの夜はこいつにかぎる……」

といいかけたが、そのことばはやめにして、

「やはり、ボンドリングか」といいかえると、首をふった。

警部も、いくらか自分をとりもどしたようすで、

「相手がボンドリングとわかれば、ダイヤはまちがいなくとりもどせる。まだ、処分するだけの時間はないはずだ。さっそく本部に電話して——」

「お待ちになって、お父さん」とエラリイがとめた。

「なにを待つんだ？」

「刑事をやって、だれを逮捕させるんです？」

「なに？」

「警察本部へ電話なさるのは、逮捕状を請求するつもりでしょうが、その名はだれにする気です」

警部は頭をおさえて、

「なにをいっているのだ……いまおまえは、ボンドリングといったばかりじゃないか？」

エラリイは舌のさきでピックルのタネをはじきながら、

「もうひとつの名を書いたほうがよさそうです」

「もうひとつの名？」とニッキイがいった。

「ほかにも名があるんですか？」

「べつの名とは？」

「コーマス」

「コーマス！」

「コーマス？」

「コーマス」

最後に、ニッキイがいった。

「やめましょうよ、きりがないわ」

そして彼女は、自分の茶碗にコーヒーをついで、ストレートのまま飲んだ。

「ボンドリングがコーマスだなんて、話がおかしすぎますわ。ボンドリングは一日じゅう、わたしたちといっしょでしたのよ。コーマスのほうは、いろいろな変装をして、わたしたちの前にあらわれたわ。銀行の前ではサンタ・クロース。わたしには手紙をよこしたし、老人に化けて、ランス・モルガンスターンをつれ出したし、口ひげをつけたふとった男になって、ラファティ夫人の財布を盗んだり――」

「そう、そう」とヴェリーもうなずいて、「それ、どういうわけです?」

「やつの手品は、なかなか手がこんでいる」とエラリイがほえた。「ついさきほど、電話で、ぼくをからかったやつ、あれだってコーマスじゃなかったのか? 盗んだ品を――それから、ダイヤは除いてあるが――ドア・マットの上においてあるといったのは、コーマスではなかったのか? それだけでも、コーマスはボンドリングだということがわかるはずだよ。

ぼくはまえに、コーマスは理由のない行動はしない男だといった。なぜ《コーマス》は、皇太子人形を盗むことを《ボンドリング》に予告したのか? ボンドリングは、それをぼくたちに報告した。第二の自分をはっきりと指摘してだ。それは、ぼくたちに、かれとコーマスは別個の人間と信じこませたかったからだ。かれのねらいは、われわれが、コーマスひとりを警戒して、ボンドリングのほうは、まちがいのない味方だと思いこませるところにあった。

わずか一日のうちに、コーマスを三人も出現させたのも、やはりその戦略のひとつなんだ。いうまでもなく仲間を使った仕事にすぎぬのさ。

お父さん、あなたがこれまで、五年の長きにわたって、そのあとを追いまわしていた凶盗は、ニューヨークでも著名な民事弁護士だったのですよ。かれはその間、パーク・ローに事務所をかまえていた。夜ともなると、法律家としての衣裳をかなぐりすてて、しのび靴に、がん燈を手にしたすがたに変わる。それもいよいよ、こんどは、番号つきの青い服、鉄格子つきの部屋へはいる番になるわけだが、それにはこのクリスマスが、いちばん、ぴったりした時機といえよう。

古いイギリスのことわざにもある――《悪魔はそのクリスマス・パイを、弁護士の舌からつくる》というやつが。ああ、ニッキイ、パストラミをとってくれないか」

クリスマスに帰る

ジョン・コリア
村上啓夫訳

ジョン・コリア

一九〇一―一九八〇。イギリス生まれ。作家、脚本家。独学で文学を学び、二〇歳で詩集を自費出版する。一九三〇年には処女小説『モンキー・ワイフ』を発表。第二次大戦後はアメリカへ移住した。短篇集『夜と幻想』でアメリカ探偵作家クラブ賞を受賞。

村上啓夫（むらかみ・ひろお）

一八九九―一九六九。ダシール・ハメット、アガサ・クリスティ、ヘンリイ・スレッサーらの作品など翻訳多数。

John Collier: Back for Christmas, 1939

「博士」とシンクレア大佐が言った。「クリスマスにはぜひ、われわれのところへ帰ってきていただきたいですな」

お茶が出され、カーペンター家の居間は、博士夫妻に別れを告げにあつまってきた親しい人たちであふれていた。

「ええ、きっと帰らせますよ」とカーペンター夫人が言った。「わたくしがお約束いたしますわ」

「さあ、そいつはちょっと」と博士が言った。「もちろん、わたしもできればそうしたいと思っているが」

「でも、結局」とヒューイット氏が言った。「あなたの講義の契約は三カ月だけなんでしょう?」

「しかし、何が起きるかわからんですからな」とカーペンター博士は答えた。

「たとえ何が起こりましょうとも」と、カーペンター夫人はにこやかな笑顔を一同に向けながら言った。「クリスマスまでにはイギリスへもどってまいります。どうぞわたくしをご信用になってください」

一同は彼女の言葉を信じた。博士自身さえ、それを信じたようだった。この十年間、晩餐会であろうと、園遊会であろうと、委員会であろうと、博士の出席については、いつも彼女が約束した。そしてその約束は必ず守られてきたのである。

いよいよ別れの挨拶がはじまった。旅行の準備や手配に対するハーマイアニ夫人の驚くべき手腕には、誰も讃辞をおしまなかった。博士夫妻は今夜のうちにサザンプトンまで自動車で行き、明日出帆する予定だった。そうすれば、列車に乗ることもいらなければ、駅での混雑に悩まされることもなく、出発間際の気苦労も味わわなくてすむというものだ。まったく、博士ぐらい立派な内助者に恵まれた人は少ないだろう。アメリカでもきっと大成功をおさめるにちがいない。万事に気をくばってくれるハーマイアニ夫人がいっしょなのだから。夫人もまたすばらしい時をすごすことだろう。林立する摩天楼！　すべてがこの片田舎のリトル・ゴッドウェアリングとはちがうのだ。だが、ほかならぬ夫人がああ言うのだから、クリスマスまでにはまちがいなく博士をつれてもどってくるにちがいない……。

「ええ、わたくしが必ずつれてもどってまいりますわ。どうぞわたくしの言葉をご信用になってください」

「向こうでは、きっと」と人々は言った。「滞在期間の引き延ばしとか、大病院からの招聘とか、いろいろな工作が行なわれるでしょうが、決してそういった口説き落としには乗らないでください！　博士はこの町の病院にとってかけがえのない方なのです。ですから、ぜひともクリスマスまでには帰ってきていただきたいのです」

「はい、承知いたしました」と、夫人は最後に帰って行く客にも言った。「そのことは、わたくしが心得ております。クリスマスまでには必ず帰ってくるようにいたしますわ」

あと片づけの仕事もすらすらとはかどった。メイドたちはすぐお茶の道具を洗い終えると、部屋へはいってきて、別れの挨拶をのべたが、まだディヴァイジス行きの午後のバスには充分間に合った。

メイドたちが帰ってしまうと、あとにはもうちょっとした用事しかのこっていなかった。あちこちのドアに錠をおろすとか、家の中を見まわってすべてがきちんと片づいているかどうかを調べるとか、すればよかった。

「あなたはお二階へ上がって」と、ハーマイアニは良人に言った。「茶のツイードの服にお着替えになってください。いまお召しになっている服は、カバンに詰めるまえに、ポケットの中のものをお出しになってくださいよ。ほかのことは全部わたしがいたしますから、あなたはただ、わたしの邪魔をなさらないようにしていただきたいわ」

博士は二階へ上がって行って、着ている服をぬいだが、茶のツイードの服には着替えずに、衣装戸棚の奥から古い汚れたバスガウンを引っぱり出して着た。それから、二つ三つちょっとした準備をととのえると、階段の手すりからからだを乗り出して、細君を呼んだ。

「ハーマイアニ！　ちょっと、来てくれないか？」

「はい、はい、ちょうど一段落つきましたから」

「じゃ、ちょっと上がって来てくれ。なんだか変なものがあるんだ」

ハーマイアニ夫人はすぐ上がってきた。が、良人の姿を見ると、「まあ、あなた！」と叫んだ。「なんだってそんな汚いものを着て、うろうろしていらっしゃるの？　ずっと前に、燃やしておしまいなさいと申したでしょう」

「だけど、いったい誰が」と博士は言った。「金鎖なんか浴槽の排水口の中へ落としたんだろう？」

「もちろん、誰も落としはしませんわ」と夫人は言った。「第一、そんなものを身に着けている者は一人もおりませんよ」

「じゃ、どうしてそれがあそこにあるんだろう？」と博士は言った。「この懐中電灯で照らしてごらん。かがんで、のぞいてみれば、光っているのが見えるよ、ずっと下のほうに」

「メイドの誰かが、ウールワースで買った腕輪でも落としたのかもしれませんわ」とハーマイアニは言った。「きっと、そうにちがいないわ」

そう言いながらも、夫人は懐中電灯を手に、からだをかがめて、排水口の中をのぞきこんだ。と、博士はいきなり短い鉛管の切れはしをふり上げて、力いっぱいその後頭部を二、三度つづけざまに殴りつけた。そして、両膝を使って彼女のからだを浴槽の中へ押しころがした。

それから、彼はバスガウンをぬぎすてて、裸になると、道具類をくるんだタオルの包みをほどき、それを洗面器の中へあけた。そして、数枚の新聞紙を床の上にひろげておいて、もう一度犠牲者のそばにもどった。

彼女はもちろん死んでいた——浴槽の端のところで、からだを二つに折り曲げ、トンボ返りでもしているような恰好をしていた。彼は何も考えずに、しばらくの間、突っ立って彼女を見おろしていたが、やがておびただしい血が流れ出ているのに気がつくと、彼の心はふたたび活動をはじめた。

まず彼は、死体を押したり引っぱったりして、やっと浴槽の中にまっすぐに寝かせた。それがすむと、こんどは死体の服をぬがせにかかった。狭い浴槽の中で、これは相当骨の折れる仕事だったが、それもどうにかすませると、次に彼は水道の栓をひねった。水は最初勢いよく浴槽の中へ注ぎこまれたが、しばらくすると急にその勢いが弱くなり、やがてピッタリとまってしまったかと思うと、浴槽の底にあった最後の水がゴボゴボと音を立てて排水口に吸いこまれて行った。

「畜生！」と彼はつぶやいた。「女房の奴、元栓を締めてしまったんだな」

　することは一つだけしかなかった。博士はいそいでタオルで手をふくと、そのタオルのきれいなほうの端で浴室のドアをあけ、タオルは腰掛け（ストール）の上に投げ返しておいて、はだしで猫のようにすばやく階段を駈け降りた。地下室のドアは、階段の下のホールの隅にあった。元栓のある場所は、彼にはわかっていた。それにはわけがあった。すこし前に彼は——ハーマイアニにはブドウ酒の貯蔵庫を掘るのだと言って——ひとりで地下室へ降り、しばらくそこで時間をすごしたことがあったからだ。彼は地下室のドアを押しあけて、急な階段を駈け降りると、ドアが閉まって地下室がまっ暗になる前に、元栓をさぐりあてて、それをあけた。それから汚れた壁を手さぐりに階段の下まで引き返し、まさにのぼろうとしたときだった。不意に玄関のベルが鳴った。

　博士には、ベルの鳴るのが、音のようには思えなかった。まるで鉄の大釘を胃に打ちこまれ、そのさきがゆっくりと胸もとへ突き上げてくるような感じだった。それはついに頭にまで達し、そこで何かが破裂した。彼は床の石炭屑の上にからだを投げ出すと、思わず、「ああ、これでおしまいだ！　何もかも終わりだ！」と言った。

「だが、待てよ、彼らには入って来る権利はないのだ」と、彼はふたたび口に出して言った。彼の耳には自分のハアハアいう喘ぎがはっきりきこえた。「そんな権利は誰にもないんだ！」彼は自分に言いきかせるようにつぶやいた。「誰にもないんだ！」

彼はやっと、すこし元気をとりもどした。立ち上がると、またベルが鳴ったが、こんどはそれに対してほとんど苦痛をおぼえずにすんだ。

「放っとけば、帰ってしまうだろう」と彼はつぶやいた。

そのとき、玄関のドアのあく音がした。

「かまうもんか！」彼は拳闘家が顔を守るときの構えのように、片方の肩を上げた。「どうとでもなれ！」

玄関では誰かが「ハーバート！」「ハーマイアニ！」と大声で呼んでいるのがきこえた。

それは、ウォーリングフォード夫妻だった。いまいましい奴らだ！　彼らはおせっかいを焼きにやって来たのだ。あの連中は何か口出しをしたくってしかたがないのだ。だが、こっちはまっ裸だ！　それに血と石炭屑にまみれていたんでは！　ああ、もうだめだ！　おしまいだ！　どうすることもできやしない！

「ハーバート！」

「ハーマイアニ！」

「いったいどこへ行ったんだろう？」

「車はあそこにおいてあるわ」

「リッデル夫人の家へでも行ったのかもしれんぞ」

「なんとかお会いしたいわね」

「それとも、買物かな。最後の土壇場になって何か思い出してさ」

「ハーマイアニにかぎって、そんなことないわ。ちょっと！　誰かお風呂にはいってるんじゃないかしら？　大声で呼んでみましょうか？　ドアをたたいてみたらどうかしら？」

「シーッ！　やめたまえ。それはあんまり無作法だよ」

「呼んでみるだけなら、かまわないでしょう？」

「いや、一度帰って、出なおすことにしよう。ハーマイアニの話では、七時前には出発しないということだから。なんでも、途中ソールズベリーで食事をするとか言っていたよ」

「そう、それなら大丈夫だわ。ただもう一度ハーバートさんとお別れの杯を交わしたいわね。このままでは、あの人だって気を悪くなさるわよ」

「さあ、行こう。そして六時半ごろにまた来てみよう」

　博士は二人の出て行く足音と、つづいて玄関のドアのしずかに閉まる音をきいた。

「六時半か、よしそれまでには片づけられるぞ」と思った。

　彼は玄関のホールを横ぎって入口のドアに掛金をかけると、二階へ駆け上がり、洗面器の中から道具をとり出して、大いそぎで予定の仕事をすませた。それから、タオルや新聞紙できちんとくるみ、安全ピンでしっかりと留めたそれらの包みを、つぎつぎと地下室へ運び下ろした。そしてそれを、地下室の一隅に掘っておいたせまい深い穴の中に注意ぶかく入れ、シャベルで土をかけ、その上に石炭屑をいちめんに敷き、どこにも手ぬかりのないことを見とどけてから、ふたたび二階に上がった。そこで、浴槽と自分のからだを洗い流し、最後に浴槽をもう一度洗い清めると、服を着け、細君の服とバスガウンは焼却炉へもって行って投げこんだ。

あとちょっとした後片づけの仕事を一つ二つすませると、それで一切は終わった。まだ六時十五分にしかなっていなかった。ウォーリングフォード夫妻はいつも時間には遅れがちだから、このまま車に乗って出かけてしまえばいいわけだ。暗くなるまで待てないのが残念だけれど、大通りを避けて、回り道をすれば大丈夫だろう。たとえ一人で運転しているところを見られても、人々はきっと、ハーマイアニは何かの理由でひと足さきへ行ったのだと思うだろう。そしてそんなことは、すぐに忘れてしまうにちがいない。

それでも、彼は、だれの眼にもふれずに、最後に夕闇の濃くなった広い街道へ車を乗り入れたときには、ホッとした。車の運転には充分注意を払う必要があった。というのは、ふだんと違って距離の判断がまったくつかず、外界の刺激に対する反応力が異常に鈍っていることに気がついたからだった。しかし、それは大したことではなかった。あたりがすっかり暗くなったとき、彼は考えをまとめるため、丘の上で車をとめた。

星が空いちめんにかがやいていた。眼下の平野には遠く闇の中に町の灯が見えた。彼はじめて大きなよろこびと安心をおぼえた。これからさきはもうまったく簡単だ。マリオンはシカゴで自分を待っている。彼女はすでにおれが寡夫になったと信じているだろう。講義の連中は何とでもごまかすことができる。あとは、アメリカのどこか地方の新興都市で生活の道を立てれば、おれは永久に安全なのだ。もちろん、スーツケースの中にはハーマイアニの衣類がはいっているが、そんなものは船の舷窓から海中へ投げすててしまえばいい。ありがたいことに、彼女はふだんから手紙をタイプで打っている──筆跡のようなささいなことから、いっさいの計画が挫折することだってあるのだ。

「だが、その点は心配ない！」と彼はつぶやいた。「彼女は現代的で、あらゆる点において有能だった。なんでもてきぱきとやってのけた！　あんまりやりすぎて自分から死を招いたようなものだ！　何もやきもきすることはない」と彼は自分に言いきかせた。「おれは彼女に代わって何遍か手紙を書こう。そしてしだいにその数を少なくしていく。おれ自身の手紙には──早く帰国したいと思っているが、いろいろな事情でどうしてもはたせない。一年間家の管理をお願いする、と書こう。そして、次の年も、また次の年も。そのうちに、みんなは慣れっこになって気にしなくなるだろう。場合によっては、一、二年たって、ひとりで帰って、家を適当に処理することだってできるかもしれない。これ以上簡単なことはない。しかし、クリスマスにはもどれない」

彼はエンジンをかけて、そこを離れた。

ニューヨークに着いて、彼ははじめて自由を――真の自由を感じた。もう安全だった。楽しい気持ちで過去をふり返ることができた――少なくとも食後、タバコに火をつけながら、彼はあのときのことを――ベルの鳴る音、ドアのあく音、ウォーリングフォード夫妻のしゃべる声をききながら地下室で過ごしたあのときのことを、一種楽しい気持ちで、思い返すことができた。そして、早くマリオンに会いたいと思った。

ホテルのロビーをぶらぶら歩いていると、クロークがにこにこ笑いながら数通の手紙を差し出した。イギリスから来た最初の便りだった。なあに、こんなことといっこうに問題じゃない！　ハーマイアニそっくりの文体でタイプをたいてみるのも、面白いではないか。署名だけ彼女の筆跡をまねて、あとは誰にあてても、講義は第一回から大成功でした、主人はアメリカにすっかり夢中になって心をわくわくさせています、でもわたしは必ず主人を連れてクリスマスにはもどります……と書く。疑惑が忍びこむにしても、それはあとになってのことだ。

彼はそれらの手紙の表書きにざっと眼を通した。大部分ハーマイアニあてのもので、シンクレア夫妻、ウォーリングフォード夫妻、牧師からの手紙のほかに、建築及び装飾業ホルト&サンズ商会からの商用の手紙が一通まじっていた。

彼はにぎやかな休憩室の人込みの中に立ったままで、それらの手紙の封を切り、微笑をうかべながら、次々と読んでいった。彼らはみんな、彼がクリスマスにはもどってくるものと信じこんでいる。ハーマイアニをあてにしているのだ。「それこそ、彼らの大ミステイクさ」博士は早くもアメリカ風の言いまわしをまねて、そう言った。建築業者の手紙は最後に開封した。おおかた、請求書か何かだろう。

それには次のように書いてあった。

下記見積りに対する御承諾の書面並びに鍵、拝受致しました。有難く御礼申し上げます。

クリスマス・プレゼントにはまだ充分間もありますこと故、工事の点につきましては何とぞ当方を御信頼のうえ、御任せ下さいます様、重ねて御願い申し上げます。さっそく今週中にも工事人を派遣、工事に着手することに致します。

敬具

ポール・ホルト&サンズ

奥　様

記

御指示のとおり最上の資材を用いて、ブドウ酒貯蔵庫を地下室に建造するための工事費見積り　（穴掘り、建造、内張り等、一切の工事を含む）

金十八ポンド也

死んでもＣＭ

戸板康二

戸板康二（といた・やすじ）
一九一五—一九九三。「團十郎切腹事件」で直木賞。「グリーン車の子供」で日本推理作家協会賞。『歌舞伎への招待』『小説・江戸歌舞伎秘話』など著書多数。

去年のクリスマス・イブは、前の年ほどではなかったが、銀座の表通りは、例のとおり、雑沓が甚だしかった。

三人で連れ立っている私たちは、人波にさえぎられて、何度も立ち止ったり、時には仲間とはぐれたりした。三人の中の一人が、老優の中村雅楽なので、私は一倍気をつかったのである。

もう一人は、私の社の同じ文化部でラジオ・テレビ版の取材を担当している吉野君だった。私たち二人は、秋に結婚した歌手のクリスマス・パーティに招かれ、八時頃そこを出たが、体格のいい吉野君も、私も、何だか飲み直したい気分だった。

しかし、こんな晩に、バーへゆく手はない。そこで、女形の浜木綿(はまゆう)の妹が開いている「浜ずし」へゆくことにして、青山四丁目の角でやっと拾えたタクシーで銀座へ出たのだが、その店で、劇場の帰りに寄っていた雅楽と会ったのである。

雅楽は私を見ると、「ちょうどいい連れができた。銀ブラをしてゆきましょう」といった。「銀ブラ」という言葉も、今では古典的になったようだ。私たちは、雅楽につきあうことにして、三人で出たのが九時二十分だったのをおぼえている。

資生堂の角からコロンバンまでの辺が、一番混んでいた。私はこの短い、七丁目のブロックをゆくのに五分以上かかるとはおどろいたなどといいながら、時計を時々見ていた。

コロンバンの角まで来ると、何かを遠巻きにしているような人の輪ができていた。そのために押されて、一層往来が、むずかしくなっている。何だろうと思いながらのぞきこむと、街燈の柱の根方に、車道のほうに両足を投げ出して、酔漢が寝ているのだ。帽子を額の上に乗せているので、鼻から上は見えなかった。しかし、横のほうから、その男を見ていた吉野君が、身体をのり出して確かめるようにしたと思うと、

「竹野さん、この人、CM氏ですよ」

といった。彼の顔は、笑っていた。

CM氏というのは、テレビのタレントで、喜劇座出身の俳優である。本名はたしか中村一郎という平凡な名前なのだが、芸名は丸尾力（まるおちから）と称し、浅草以来のベテランであった。一時ふるわない時期もあったが、テレビの、ことに民間の局が殖えてからは、すっかり売り出した。彼は表情が巧みで、テレビの大写しの顔が印象的だったが、それに目をつけた広告代理店が、自分の所で製作するコマーシャルに、彼を独占して、そのことで、

更に丸尾力の名がとどろきわたった。

例えば、頭痛薬のヘデクの広告でいうと、まず彼の頭が痛くてたまらぬというしかめ面が出る、次に手にのせたヘデクの箱が出る、箱を開いて瓶の錠剤をのむ。最後にケロリと治ってうれしいという、丸尾力独特の魅力的な笑顔になるという寸法であった。

あるいは、ポパイというほうれん草の罐詰の広告では、ランニング・シャツ一枚の彼が、映画のポパイと同様にほうれん草を食べると、顔をふくらませ、腕をまげて力瘤を示すという風なコマーシャルもあった。

最近千代田テレビに出ているのは、カタトールという塗り薬の広告で、前髪を垂らした彼が、右の目の脇にアザをつけて、ちょっと凄い顔をしてあらわれる。次にカタトールの箱が出、その次に彼が右の人さし指をひょうきんに立てて目の脇を指すと、きれいにアザがとれているという演出だった。

カタトールは、じつはアザよりも、ニキビをとる薬なのだが、凄まじい顔でアザをまず見せておいて、指を立てたポーズで、おやッと思わせるのが味噌で、その指を立てた恰好がおかしくて、子供がみんな真似た。

小学校の二学期の始業式の朝、先生が手をあげさせた時に、右の人さし指を立てた子供がいて困ったという話がある位で、夏休みに、丸尾力を、学童がみんな覚えてしまったわけなのだ。

丸尾力が広告に出ている製品は、とみに売り上げが増した。彼を専属にした広告代理店は大当りだったが、丸尾力個人は、もっと売り上げが殖えて、東奔西走しているらしかった。

吉野君が、「丸尾力ですよ」という代りに、「CM氏ですよ」といったのは、彼がコマーシャル・タレントNO1であるという以外、事実、名前のイニシアルが偶然CMだったからで、各局で彼をCM氏といいはじめ、それが一般にも通用しつつある時だったからである。

私もむろん、CM氏の顔は見なれていたから、「そういえば、そうだね」といった。周囲にいる人が、私たちの会話をきいて、私語し合ったのが、わかった。

雅楽も丸尾力を知っていたので、

「酔ってるんですね。しかし、こんな所に寝ていたら、風邪を引くから、起してあげたほうがいいな」といった。

丸尾氏と知り合いである吉野君が、歩道から車道へ出て、ゆり起そうとした。そこへ、提灯を持ったあご紐の警官が来た。

「酔っ払いですか」

「いえ、知ってる人ですよ」と、吉野君がいい、肩を押して、「丸尾さん、丸尾さん」

と呼ぶと、彼は、帽子を左の指で上の方へ押し、薄目をあけて、右の人さし指をピンと立て、右の目の脇を指した。カタトールのCMでおなじみの、例の恰好をしたのだ。見ている人たちは、ドッと笑った。

その次の瞬間、丸尾力の首がガクンと前へ傾いたので、吉野君はハッとしたらしい。この時、CM氏の心臓がとまった。九時四十分だった。

翌朝の各紙の記事の中で、私の社のが群をぬいてよかったのは、当然である。入社三年の吉野君は、昂奮していた。「死んでもCM」という題の、くわしい報道が二十六日の朝のラジオ・テレビ版に出たが、自分のことを一言も書かずに、見事に、丸尾力という喜劇俳優の終焉を描写して、遺憾のない文章だった。彼は社の記者に、「まるで現場を見ていたようだね」とひやかされたが、自分がその場に居合わせたことを、あえて吹聴はしなかったらしい。

私が感心し、雅楽ものちにほめていたのは、丸尾力が死の直前に、指を立てて、子供まで知っている、いわば商標ともいうべき形をしてみせたことを、吉野君が、

「彼のCMタレントとしての魂は、死の直前まで、発揮された。彼は最後に、右の人さし指を立てた。テレビのカメラの前に立っている錯覚を彼に与えたのは、彼の目のちょうど上に、正確に時をへだてて点っていた信号燈の赤いランプではなかったろう

か。カメラが被写体をとらえている時に、ともす赤ランプは、彼の最も愛した色であったはずである」

と書いた箇所である。

「こいつア吉野サンに一本やられたね」さすがの雅楽も、赤信号を、死ぬ直前の丸尾力が、カメラの赤ランプと見まちがえたのではないかという推理は下していなかった。

むろん、この吉野君の記事は、死んだ本人に聞いてみなければわからないことを、想像して書いたにすぎないのだが、しかも、読む者を、そうかなと納得させる迫力を持っていた。

吉野君は、文化部長に、おごってもらったようである。

週刊誌はもう新年の第三週ぐらいまでの編集を終ってしまっていたから、丸尾力の記事としては、私の社のこの吉野君のが、文献として、残るであろう。若い記者にとっては、いい経験であり、いい仕事だった。


東都新聞に「死んでもＣＭ」がのってから二日目、私が朝、社へ行くと、まもなく、二列に並んでいる文化部の机の向うの列の真中で、受話器をとり上げた男が、

「吉野君、面会だ。お嬢さんですってさ」

と、からかうような口調で、どなった。吉野君は顔を赤らめて出て行ったが、まもな

く、私に、手がすいていたら来て下さいといって来た。応接室にゆくと、校服を着た女子学生がすわっていた。吉野君が、私を見ると、救われたように立ち上って、「丸尾さんのお嬢さんです」と紹介した。

中村秀子というその少女は、明月女子学院中等部の三年生で、死んだ丸尾力のひとり娘だった。そういえば、目もとの辺りがよく父親に似ている。

少女によれば、一昨日で父親の葬儀もおわり、地方から出て来た親戚もきのう帰って行ったので、早速吉野君を訪ねることにしたというのだった。むろん、丸尾氏の急を自宅に知らせたり、病院の車を呼んだり、一切の世話をやいた吉野君に礼ものべたかったが、他にちょっと気がかりなことがあった。

遺体になった父親が運ばれて帰り、服装を改めてみると不審な点がいろいろある。その夜、丸尾力は新年用の録画をとるために午後二時頃、千代田テレビにゆき、五時頃帰って入浴した。それから、どんなに繰り合せても必ずこの夜の食事だけは家族と共にする永年の習慣に従って、東京会館のプルニエに行った。そのあと、もう少し飲んでゆくといって、車を妻子に与え、タクシーを拾ったらしい。それは、ポケットに日交のマッチがはいっていたからわかる。丸尾夫人、つまり秀子さんの母親は潔癖で、夫の素行を点検する意味ではなく、毎日夫の外套や上衣、ズボンのポケットのものを、自分でとり出すことにしているから、そのマッチは、当夜のものにちがいない。

　そのマッチは無難なのだが、もうひとつ、別のマッチが出て来た。このマッチは、横須賀駅前港屋ホテルので、意匠のずい分チャチなレッテルだった。どうして、横須賀のマッチがはいっていたかがわからない。しかも、そのマッチのレッテルの上に、奇妙な数字が、父親の字ではなく、書いてある。

$$\frac{560}{7}\times 240$$

とあるのだ。いかにも、ふしぎだった。

　更にふしぎなのは、いつも神経質なほどきれいに磨かせ、歩く時にも気をつけて痛まぬようにしている黒靴の爪先のエナメルの先がすりへったように痛んでいること、靴の裏に泥にまみれた籾殻が多量に付着していたこと、そして、外套の襟の裏側に、たとえばポスターカラーのような青い絵の具が少量付着していたことなどであった。

「吉野さんのお話では、父が死にましたのが九時四十分とのことでしたが、父の時計は九時二十五分でとまっていました」

　中村秀子という、この少女は、聡明そうな顔で、はきはきと、このように語り終った。

　現場に居合せたということで、私も、その席に呼ばれ、少女が挙げた、少なくとも四つの不審な点について、筋の通った話をきくと、やはり、奇妙な気がして来た。

私は早速、雅楽に、電話で、この話をした。

「なるほど、それは妙だね。丸尾さんの死因は、心筋梗塞だということだったね。過労か飲みすぎという風に考えていたが、その前に、何かあったのかな」

「秀子さんは、何だか、死ぬ前に、父親がどこにいたのかを、つきとめたいような口ぶりでした」

「犯罪がからんでいるとも思えないが、今きけば、なるほど、妙な数字の書いてある横須賀のマッチ、先のすりへった靴、靴の裏の籾殻、外套の襟の裏側についている絵の具と、これはおかしいね」

「考えてみて下さいませんか」

「とにかく、日交のマッチを、まず調べるんだね」

二人の会話は、一応終った。

吉野君は、すっかり張り切ってしまった。彼は、私から部長に了解を得てくれとたのんでおいて、取材の合間に、一切手弁当で秀子さんのために、丸尾力が死ぬ前、どこにいたかを調べることにした。

まず彼は、遺されたマッチによって日本交通の河田町営業所に行くと、車輛番号をたよりに、十二月二十四日の夜、丸尾力をのせた運転手をさがした。

すると、すぐわかった。当人は非番で帰宅していたが、東京会館の付近から、七時半にその車が、新橋駅まで行っていることが、日報に出ていた。丸尾力がプルニエで食事をしたのが六時半から七時二十五分までであることが、秀子さんの説明でわかっているから、この「日比谷―新橋駅、八十円」というのが、それに該当しよう。それに、その運転手栗林君は、同僚に、丸尾力をのせたよと語っていたことも明らかになった。自家用車を持っている丸尾力がタクシーにのることは珍しくもあったのである。

横須賀線にのるのは、新橋駅か東京駅だが、時間的に、この夜、七時四十分頃から、九時四十分までのあいだに、丸尾力が横須賀まで往復するのは不可能だから、このマッチは、ほかの人からもらったものであろう。ところが、丸尾力は、ライターを愛用していた。

秀子さんは、マッチの話の時に、付け加えて、「ほかに父の懐中には、紙幣入れ、小銭入れ、手帳、ハンカチ、靴べらがありました」と、社へ来た時、念のためいい添えているのである。

使いなれたライターのある人が、煙草の火を借りるはずもないから、つまりこのマッチは、他の理由で手渡しされたのであろう。しかし、横須賀のホテルを丸尾力が知ろうとする必要は、なさそうだ。とすれば、一見暗号みたいにも見える、数字が怪しい。

丸尾力は酒は好きで、はしごの癖（へき）があった。ゆきつけの店は、銀座に二軒、並木通りのエルムと、日本電建の近くの六番館。新橋はコントというのが一軒。これらは夫人も知っていた。なぜ知っているかというと、迎えの車をまわしたことが何回もあるからで、夫人は運転の免許をとっていたのである。

新橋のコントに照会すると、丸尾力は、その夜七時五十分頃、ひとりで入って来て、ビールを一本と、水わりのハイボールを二杯のんだ。スタンドバーであるコントに相客はなかった。クリスマス・イブのような時には、銀座は混むが、新橋はいつもひまである。スターの妹とでもいった感じで、姉さんがチヤホヤされているのに反して、あんまり近くなので、人が忘れて通りすぎてしまうのだ。

コントのマダムは、丸尾さんは八時半ちょっとすぎに、御機嫌で出て行ったと語った。

「問題は、その後の足どりですよ」

中間報告を私にしたあとで、吉野君は、意気ごんで、こういった。いかにも初心な探偵ぶりであるが、雅楽が直接この言葉をきいたら、きっと微笑したにちがいない。りきんでいる吉野君は、美しい少女のために出陣する騎士のように見えたからである。

年内にはもう行けそうもないので、私は翌日暮れの挨拶を兼ねて、千駄ヶ谷の雅楽の家に、切山椒（きりざんしょう）を土産に訪ねた。夜の七時頃だった。

「竹野さんを待ってた所です。どうです、目鼻はつきましたか」

「吉野君は、一生懸命、やってますがね。まだあの晩の丸尾の足どりを、半分たどった程度です」

「私の助言が役に立てば、何よりだと思う。竹野さんから、あの青年に話してあげて下さい」

と前おきして雅楽は、次のような意見を述べたのである。

丸尾力の靴の先が痛んでいた。すりへったように、なっていた。これは、靴を大切にする習慣で、車に乗って歩くことの多い人間としては、考えにくいことだ。

では、靴の先がそうなるのは、どういう時だろう。

おそらく、これは、丸尾が二人の男に、かつがれて、自分はもう前後不覚になって、運ばれた時についた靴の傷かと思われる。

現に、急死の直前に見た丸尾は、かなり深く酔っていたし、人から声をかけられて、テレビでおなじみのポーズをして見せたあたりは、彼が上機嫌だったのを意味する。つまり、酔っ払った丸尾を、ある場所から、肩を貸して、つれ出した二人の人間がいたのだ。

問題は、その二人が丸尾に好意を持っていたか、どうかということだ。常識からいって、酔った男を道端に置きっ放しにして行くというのは、親切ではない。だから、丸尾があまりひどく酔ったので持て余したのか、という風にもいえる。

しかし、丸尾を、街角までつれて来てすてててゆくというのは、その二人が丸尾とそれほど親しい仲ではなく、しかし丸尾という人物についてはよく知っていて、この夜とにかく、自分たちの居る場所から遠ざけようという必要があったのではないかと判断される。

なぜ遠ざけたかったかと更に考えを進めてみると、仮に、あるバーで、丸尾と誰かが、酔余の口論でもはじめ、収拾がつかなくなったので、仲裁にはいって、とにかく一方をつれ出したのだという見方も可能である。

その場合、相手のほうがそのバーに縁が深く、丸尾のほうがつれ出されるにふさわしい立場にいたのだと思う。

口論でもしたというのが事実とすれば、その相手は、そのまま、店に留まったかも知れない。すると、つれ出したのは、バーテンもしくは客、とにかく男二人であろう。

もっとも、つれ出した二人のうち、一人が、丸尾と口論した相手という場合もあり得る。その仮定に従えば、丸尾とその男が口論以上の、暴力に出て、丸尾が倒れて一時失神でもしたのを、事面倒だとばかり、運び出したという想像もできないことはない。九時二十五分でとまっている時計は、丸尾の倒れた時間を示していると思われる。

いずれにしても、丸尾は自分の足で、あの最後の呼吸をひきとった場所へ来たのではあるまい。

「なるほど」私は、息もつかずに語り終えた雅楽の顔を、感に堪えて眺めていた。

「竹野さん、私が今話したのは、痛んだ靴についてだけの話ですよ。まだいろいろ、暗示がある。それを組み立てて行きましょう」

雅楽は続けた。

「次は、靴の裏の泥と籾殻です。これは丸尾さんが、八時半すぎから、どういう場所にいたかを教える、大切な手がかりです。

こういうものが足につくのは、農村の道路だが、小一時間のあいだに、車で郊外へ行って来たなどとは考えられない。

すると、あとは青物や水菓子を売っている市場を歩いたのか。これもおかしい。多分、舗装のしていない横町に、りんごの箱をあけたとでもいう所を、通ったんじゃないかと思うんだが、どうでしょうね」

「九時二十五分に時計がとまった。丸尾君があの街角へつれて来られたのは、死ぬ直前と見て、九時三十五分頃、仮にそうしてみると、十分かかって来てるわけです。泥酔した男の両腕に肩を貸して、二人の男があの角から、逆に十分歩いてみて、その半径で地図に円を書いてみたら、どうでしょう」

私は自分の提言を雅楽が否定しないのを幸い、この実験を、電話で早速、取材のためにＮＨＫに行っている吉野君に連絡して、すすめてみた。

吉野君は、すぐこの足で、その実験を試みると意気込んでいったが、私は、報告を待ちながら、続いて、雅楽に、意見を求めた。

「マッチが横須賀の宿屋ということから考えられるのは、横須賀線に乗って東京に通勤している人で、相当な飲み手だということじゃないのかな。

多分この人は鎌倉か逗子に住んでいて、終電車に乗ることの多い男だ。そして、寝すごしてしまっては、終点までつれてゆかれて、駅前の旅館の厄介になることが、ちょいちょいあるんでしょう。

それで、ポケットに、港屋ホテルのマッチがはいっていた。

クリスマスの前の晩、この人は、丸尾さんに会って、話しかけ、数字を書いて渡したんですね」

「数字が何を意味するのか、わかればね」と私は、溜め息をついた。

「もう一つ、外套の襟に、青い絵の具がついていたという。これは、さっきもいったように、疑問の人物と、丸尾さんとが口論でもした揚げ句に、つかみ合いをしたという想像をさせる材料だ。

その人が、丸尾さんの胸倉をとったんじゃないだろうか。そういう形を考えると、相手の指に何かわけがあって、ついていた青い絵の具が、外套の襟の裏側につくのは、ふしぎでも何でもありません」

吉野君から折り返し電話があって、友人二人を、一杯飲ませるからといって引っ張り出して、これから表通りのコロンバンの角にゆき、自分が酔っ払いになって、二人の肩を借りて、歩いてみるということだった。

「秀子さんに、コロンバンの二階で八時半に待っていてもらうことにしました」という。

私が電話をきいている脇にいた雅楽は、急に立って、外出の支度をしはじめた。

「私もコロンバンへ行こう。そうして、もう一度考えてみよう」というのだ。この老人は、こういう話になると、じっと家にすわって、間接に結果をきくだけでは、到底満足できないのだった。それは、雅楽の長所であり、彼の若さを支える、何よりの条件でもあるように思われる。

車で千駄ヶ谷から銀座に出て、コロンバンの二階にゆくと、吉野君に呼び出された秀子さんが、不安そうにすわっていたが、私を見ると、ホッとしたような顔で、微笑した。

私は、雅楽を紹介したが、あまりふだん見たことのない種類の老人に逢って、少女は少々戸まどっているらしくもあった。

まもなく、ドヤドヤと上って来た三人の青年は、私たちを見ておどろいたようだった

が、愉快そうに額の汗をハンカチで拭いながら、

「実験、成功です。それらしい店がありました」といった。

三十分ほど前、この店のちょうど真ん前の、丸尾力の死んだ街燈の所から、泥酔した男を装った吉野君は、二人の友人の肩を借りて、引きずられるようにして歩き出した。靴の先が歩道をこすって歩くという歩き方だから、肩を貸しているほうはかなり疲労したはずである。

十分経った時、三人がいたのは、新橋を渡って、電車の交叉点を、玉木屋の前から渡った地点であった。

この方角が正しいかどうか疑問だが、丸尾力が、新橋のコントにいたということから、とりあえずこっちへ行ってみたのである。

まず、この辺に果物屋がないかと思ってみると、蔵前工業会館の近くに、一軒果物屋があった。その横の露地には、りんご箱が積んであり、今夜も、籾殻が散らばっていた。道は、泥である。しかも、露地のつきあたりに、バーがあったのだ。

とりあえず、秀子さんに伝えようというので、約束の午後八時半に、このコロンバンへ来たのだと吉野君が語った。

雅楽は、しかし、慎重だった。

「果物屋の露地にバーがある。そのバーで丸尾さんがしたたかに酔って、つれ出されて、

籾殻を靴の裏につけた。話の筋は通ります。

しかし、今この二階から下の人通りを見ていた私は、もう一度、実験をし直すほうがいいと思ったんだ。実験といったって、もう一度苦労して歩いて見るほどのことはないでしょう。りんご箱は、もっと近くにあったはずですよ」

「どうしてですか」吉野君は、不服そうな顔をした。

「あの二十四日の晩と、きょう三十日とでは、銀座を歩いている人の数が、まるでちがう。あの晩は、私は竹野さんや君と、時々はぐれそうになった位で、二、三歩行っては立ち止ったりしながら、やっと歩けたという風な有様だった。

表通りばかりでなく、裏の道も大変な混雑だったんです。だから、二人の男にかつがれて歩いた丸尾さんが、十分かかってここまで来たとしても、歩きはじめた所は、少なくとも川よりはこっち、事によると、電通ビルからこっち位の見当じゃないかと思う」

私も、それには賛成したが、吉野君は、すっかりしょげてしまっていた。もっとも私も、吉野君と電話で話した時、そういう注意を付け加える才覚がなかったのを内心恥かしく思ったので、やはり、しょげた顔になっていたかも知れない。

とにかく六人は、コロンバンを出た。二人の友人は、張り合いのぬけたような表情で、別れて行ったが、吉野君には、名誉恢復(かいふく)を、少女の前で、ぜひしたいとでもいうような様子が、ありありと見えた。

雅楽が先に立って、コロンバンの横を、西銀座のほうにはいり、電車通りと平行したいくつかの通りの角にゆくたびに、立ち止って、ネオンだの蛍光燈だのでいろいろに趣向されたバーの看板を眺めた。

別に何という意味もないのだが、丸尾力が、この辺のバーにいたかも知れないという気がしたから、見たにすぎない。押しつまった今日になっても、首からポータブル・ラジオを提げてFENの音楽を流しているプラカード・マンの姿が見えた。

自分の店を、指している指の動かし方は、喜劇を連想させ、その連想の延長が、死んだ丸尾力を思い出させた。秀子さんには、見せたくないような気持がした。

同じことを吉野君も感じたと見え、秀子さんの腕を抱えて、その男の前を、急ぎ足で通りすぎる。

雅楽は、しかし、動かずに、じっと、指を動かして客を呼びこもうとしている男の手先を、見入っていた。そして、私に、こういった。

「私は、とんでもない勘違いをしていた。丸尾さんが死ぬ直前に、カタトールの広告になっているあの恰好をしたのは、酔っても本性を失わない職業意識じゃなかったんだ。折角吉野君が〝死んでもCM〟という名文を書いたのを、ぶちこわしては気の毒だが、あの恰好には、別の意味があったんだ」

「何ですって」私は、あっけにとられた。

「丸尾さんは、アザを指したのだよ。あの恰好は、テレビの広告の中で、はじめにアザのついた顔でして見せていた形でもあるわけだ。

丸尾さんは、アザのある人、と教えるつもりだったのだ」

「………」

「吉野君も、秀子さんも、待って下さい」

雅楽は、道をゆく人がふり返るような大きな声で、少し先のほうに行って私たちを待ち合せている二人に呼びかけた。


私たちは、すぐ近所の薬局に行った。そして、カタトールを一箱買った。

「五百六十円いただきます」

「やっぱりそうだった」会心の笑顔を見せながら、雅楽は千円札を出して、釣銭を受けとり、「七日分」と記した箱を見ながら、

「秀子さん、お父さんがカタトールの広告に出たのは、いつ頃からだか、おぼえていませんか」

「さア」と考えながら、少女は答えた。「よくおぼえてないいんですけど、私が三年になってまもなくのような気がしますから、四月頃ではないでしょうか」

「そうですか」雅楽は、指を繰りながら、「五、六、七、八、九、十、十一、十二」と独り言のようにいって、「八ヵ月、三八二十四」などと呟いている。

「ああわかった。おじさんは、マッチの数字のことをいっていらっしゃるのね」

目を輝かしながら、少女はいった。

「えらい。秀子さん、大したものだ」

私には、まだよくのみこめなかった。

「竹野さん、マッチに書いてあった数字の謎がとけましたよ。560というのは、カタトール七日分という一箱の値段です。560を七で割って、二百四十をかけたのは、カタトールを丸尾さんが宣伝しはじめて、それにつられて使用しはじめた人が、八ヵ月のあいだに、これだけカタトールのために、金を使ったんだといって、丸尾さんに説明した数字なんだ。

つまり、この人には、右の目の所に、偶然テレビにあらわれる丸尾さんと同じ場所に、アザがあったんだと思う。熱心にカタトールを塗るけれど、アザが消えない。それで腹を立てていたところ、たまたま、当の丸尾さんに会ったので、不平をぶちまけたんだろう。

数字を、自分のポケットにあるマッチに書いて、つきつけたんだ。そうとしか思えない」

この推理は、サンドイッチ・マンの指を見たあと、畳みかけるように、組み立てられて行ったものなのであるらしかった。

「相手の男、——女かも知れないが、まア男だろう。その男の見当はついたが、場所がまだハッキリしない。今年中に、ということは、明日が大みそかだから、できれば今日中に、何とかわかる方法はないかな」

雅楽は、また次の辻に立って、道を新橋側に向いたり、逆の方向を向いたりしながら、バーの看板を、数えていた。

注意して見ると、バーの名前には、何と、女名前の商号が多いことだろう。おそらく、マダムの名を店の名にしているのだろうと思うが、表通りから、二つ目のこの通りに出ている広告燈や看板には、「けい」「百合子」「ユキ」「悦ちゃん」「ゆか」「テル」「春江」「れい子」「ハルミ」などという、固有名詞が目立つのである。

この中の二軒は、私も一、二度人に誘われて行ったバーであった。

雅楽は、もう一度、新橋の側を向いたが、一軒の看板を指さした。そして、「ちがうかも知れないが、行って見よう」と、私たちを促すのだ。

それは煙草屋と、どこかの事務所とのあいだにある「テル」という店であった。どこかの事務所といったのは、遠くから見ると、その家だけ表の戸を閉じていたからで、近づくと「商業美術・平岡工房」という、デザインの技術家が描いたらしい特色のある表札が出ていた。

事務所と「テル」の間が、別の通りにぬけられる露地で、その露地の中にも、一品料理屋だの、おでん屋だのがあるらしかった。

雅楽について、私たちは「テル」の扉を押した。中は薄ぐらい照明で、はいっただけで、いかにも銀座のバーらしい雰囲気がある。

ガスの燃えるにおいと、酒のにおいがした。ただ、さすがに押しつまっているせいか、客は隅のボックスに一組しかいない。

和服にもじりを着た老人と、見るからに新聞記者らしい青年と、校服に地味な外套を着た少女と、そして、よく誰からもいわれるようにちょっと見たのでは職業の判断がつかない私と、奇妙な四人づれがぞろぞろはいっていったので、「いらっしゃいまし」と声をかけた和服の女と、退屈そうにしていたバーテンは、一瞬妙な顔をした。

雅楽はタオルで顔を拭きながら、「隣が平岡工房というのもお誂え向きだ」などと、わけのわからないことをいいながら、私にはかまわず、注文を聞きに来た女の子に、歯切れのいい口調で、

「ハイボール二つ、ジュース二つ」といったあと、

「尋ねたいことがあるんだがな」といった。

「何でございましょうか」

「君の所では、クリスマスに景品を何か出したろう」

「ええ」

「リンゴじゃなかったかね」

「どうして、お判りですの」老人の隣にすわった、痩せた女が、顔をほころばせた。

「やっぱり、そうだ」と、うれしそうに手をこすり合わせながら、雅楽がいった。

「竹野さん、この家の名前は、マダムがテルさんじゃないんだ。ウイリアム・テルなんだよ、きっと。ねえ、そうだろう」

「ええ」と女はふり返って壁の方を指す。そこには銅版画で、領主の所から意気揚々と引きあげてゆくテル父子の姿を描いた図が、美しい額におさめて、飾ってあった。

「私は、籾殻をリンゴと結びつけ、リンゴ、リンゴと思いながら、さっきから歩いていた。そして、ふと、テルで、頭の上にリンゴをのせたウイリアム・テルを思い出したんだよ」

「何のお話ですの?」

「いや、お伽話なんだよ。そりゃそうと、クリスマス・イブに、ここへ、丸尾力が来やしなかったかね」

「ええ、いらっしゃってました。とてもお酔いになって」と、女は何か思い出したと見えて、クスリと笑ったあと、「でもそのあとで、すぐおなくなりになったんですってね、お気の毒でしたわ」といった。

「一人で、丸尾さん、来たの？」

「いえ、お二人づれでした」

「つれは」

「おつれは、私どものお客様ですの。何ですか、外でお会いになって、ここへつれていらっしゃったらしいですが、その晩は何しろイブで、混んでましたので、席に永くついてもいられなかったし、くわしくはわかりません」

「そのお客と丸尾さんは、前からの知り合いなのかしら」

「さア、どうでしょうね」

「名前は聞かなくてもいいが、そのお客さんは、横須賀線で帰る人だろうね」

「ええ、逗子の方なんです」

　雅楽はますます上機嫌になっていた。女と老人の問答を、ほかの三人は、注目していたが、とりわけ秀子さんの顔は、真剣だった。

「じゃアもうひとつ訊くけど、そのお客さんは、ボックスで、いつもすわる場所が、きまってやしないか。たとえば、あの隅のボックスでいうと、テーブルをはさんだ席の、こっちから見て左側の奥にすわるといったようなことはないだろうか」

女は、ギクリとしたらしかった。そして、低い声で、足もとを見ながら、いった。

「ええ、何しろ、あの方は」

「右の眼の所に、もしやアザがあるんじゃないか」

「そうなんですの」女はいった。「子供の頃からなんですって。そんな目立つアザじゃないんですけど、それをとても気になさって、女の子が右側にすわるのがお嫌いなんです。評判のカタトールを、毎日つけても駄目だなんて、いってらっしゃったわ。

でも、カタトールは効くはずなんですよ。家の子で、ソバカスがとれた子がいるんです。あの方のアザは、性質がちがうのかしら」


尋ねてみると、逗子から通勤しているその人が、クリスマス・イブの夜、いつ立ち去ったのか、覚えているものはなかった。バーテンも、知らないといっていた。

そして、彼は二十五日以後、連夜開店している、この「テル」には、現われていない。

雅楽は秀子さんにいった。

「お父さんの死因は、大体わかりました。その死因をもたらした人を犯人として告発するのは私の任ではないが、一応いってみると、もみ合うはずみに、倒れて、お父さんは後頭部を床に打ちつけたんではないかと思うんだ。

まア大体のところは判ったんだが、たったひとつだけ、外套の襟の裏の絵の具が、まだわからない。そのことについて、私としては、松がとれてから、隣の平岡工房に問い合わせたいことがあるんですが、それまで、待って下さいませんか」

利発そうな少女は、

「もういいんです。大変よくわかりました」といった。納得が行ったらしかった。

年が変ってから、吉野君は、雅楽に示唆された質問を持って、「テル」の隣の平岡工房を訪れ、雅楽の満足する回答を受けて帰って来た。

そのついでに、吉野君は、「テル」に寄って、くれに会った女に、「逗子の客」が再び姿をあらわしたら、こういう者が貴方のことを案じていたといってくれと言伝てしたらしい。

一月十日の朝、私の社に、右の目のふちにアザのある紳士が、蒼白な顔色で、やって来た。

待機していた吉野君と私とが、応接した。

その紳士は、森元商事という会社の社長で、森元忠一と名のった。彼は、クリスマス・イブの晩、「テル」というバーへゆく途中で、ふらふらと気持よさそうに歩いている丸尾力に声をかけた、と話しはじめた。

「私はじつは、ふしぎなことに、やはりイニシアルが丸尾さんと同じＣＭなんですよ。

そんな話をキッカケにして、初対面の挨拶をしたあと、一杯のみましょうと誘うと、ぶしつけな私の態度を少しも不愉快に思った様子がなく、あの人は、私について来たんです」と、彼は語った。

じつは、森元氏は、十数年前から丸尾力のファンでもあった。森元氏には、子供の時分からアザがあって、それを大変、苦にしている。

偶々、去年の四月に売り出されたカタトールは、テレビのコマーシャルで、丸尾力の顔と個性的な演出で評判になったが、アザを除去する効能があるというので、早速森元氏はこの薬を買い求めた。毎日用いたが、一向に験が見えない。以前からつけている薬と併用して、七日分という箱を、二、三週続けて買って、塗ってみたが、アザは薄くも小さくもならなかった。

半ば意地になって、カタトールを用いること、延々八ヵ月に及んだが、アザは消えない。彼は製造元に抗議をしようと思ったが、その前に、丸尾力の顔が、段々憎らしく見えて来た。

そういう時に、銀座の夜歩きをしている丸尾力に逢ったので、声をかけてバーにつれこんだのだから、初めのうちは、笑って雑談を交していたが、不快の心がやがてつのって来た。

彼は例によって右のアザが目立たない席にすわっていたが、酔っていたため若干の芝居心もあって、外へ出て隣の、明るい燈を往来まで見せて正月のための仕事をしていた平岡工房へはいって行った。そして、何となく顔見知りの青年に、青いポスターカラーを貸してくれとたのみ、自分のアザのまわりに指で塗って、アザを実物よりもいくぶん大きくして、丸尾力の前へ戻った。

そして「あなたが宣伝している薬は、ちっとも利かない。私のこのアザを見てくれ。四月から二百四十日もつけたカタトールは、金額にしても、ばかにならない」という意味のことをいった。その時、ポケットにあったマッチに、数字を書いて渡した。マッチは、酔っ払って寝すごしたような時に、泊ることのある横須賀の旅館のである。

丸尾力は、急に変った相手の様子に当惑したらしく、口を歪めて笑いながら「私はこれで失礼します」といって、立ち上った。外套を着てしまった丸尾力の前へ行って、襟をおさえ、胸倉をとった。逃げようとするのをつかまえようとして争うはずみに、丸尾力は、倒れて後頭部を椅子の角に打った。

ハッとしたが、相手がすぐ起き上ったので安心したものの、丸尾力がそのかたわらにある椅子に腰をかけて、うつむいてしまったので、心配になった。

同じく「テル」の常連で親しい男がいるので、呼んで、二人で丸尾力をかつぎ出す。酔眼朦朧とした丸尾力は、自分の足では歩こうとできないほどの状態だった。そして、平岡工房とテルの間の露地のほうへ曲ろうと、じたばたした。その露地のとっつきに、その夜「テル」で、ハンカチに包んで一人一人に渡したリンゴの空き箱があったのを、おぼえている。

露地にはいりかけた丸尾力を引き戻し、二人は、力をしぼって、この酔漢を、表通りのコロンバンの角までつれてゆき、街燈につかまらせて、「さよなら」といって「テル」へ帰って来た。その時二人は、外套は着ていなかった。森元氏の話は、ざっとこんな内容だった。

翌日の朝刊で、丸尾力の急死を知り、次の日の東部新聞の「死んでもCM」という文章を読み、森元氏は、責任を感じた。

自分が「テル」に誘い、からんだあげ句、押し倒したりしたのが、急死の原因だったとすれば、居ても立ってもいられない。しかし、自首して出るという性質のものでもない。

森元氏は、以来「テル」にも行かず、至っておもしろくない新年をすごした。松が過ぎて、出社すると、「テル」から電話で、森元氏の行動を探って行った四人づれがあり、そのうちの一人が、「死んでもCM」を書いた吉野君であることが判ったので、きょうは贖罪のつもりで、訪ねて来たのだと森元氏は語った。

森元氏の罪に関する法の裁きについては、私たちのはからうべき事柄ではないから、それまで言及しなかったが、告白したことで、森元氏も、一応ほっとしたらしかった。

しきりに汗を拭いながら、

「いや、こう懺悔したら、今夜から、眠れますよ。それにしても、丸尾さんには、全くすまないことをしました」といった。吉野君と私は、顔を見合わせ、雅楽が四つの手がかりによって下した推理が、ほぼ当っていたのに、今更のように驚嘆したのである。

森元氏は、声をひそめて、いった。

「しかし、怖いものです。あの晩、絵の具をつけて大きくしたアザが、その後、洗っても絵の具がとれないんです。私の生れついてのアザは、もっと小さいんですがね、余計なことをして大きくしてしまった。これは、丸尾さんの怨みですよ」といった。

私は、いつぞや「テル」へ行った晩、薬局で買って、五百六十円という売価を確認したあと雅楽が私にあずけたカタトールの箱が、そのまま、この社の机のひきだしにはいっているのをおもい出して、とりに行った。

カタトールを見て、森元氏は、おびえたような顔つきをした。

「カタトールは、あれっきり使わないんです」と彼はいった。「何だか、いやで」

私はひとつの期待を持って、たずねた。

「あなたは、いつもカタトールだけをつけていたわけじゃないんでしょう」

「ええ、前から使っている薬と、ずっと併用していたんです」

「ちょっとこれを、今、つけてみて下さいませんか」

私のすすめで、森元氏は、苦渋した表情で、カタトールの壜をあけ、右のてのひらに受けて、アザに塗ってみた。すると、アザは、ほとんど目立たない程度に消えたのである。

「カタトールだけを、当分使ってごらんなさい。森元さんは、他の水薬と併用したため、二つの処方が、中和して、効果が相殺されたんですよ、きっと」と、私はいった。私は、鬼の首でも、とったような気がした。

森元氏のアザは、その後、痕跡もわからぬようになったという知らせがあった。私の考えたように、前から使い、使用していた水薬が、カタトールの効き目を牽制していたのだ。

丸尾力が死んで、森元氏に、カタトールの効能が、はじめてわかった。やっぱり「死んでもＣＭ」であった。

サンタクロースの贈物（a Xmas story）

加田伶太郎

加田伶太郎（かだ・れいたろう）
一九一八―一九七九。作家・福永武彦のペンネーム。
加田伶太郎名義の作品に「完全犯罪」「幽霊事件」
など。

1

「ねえや、ぼくつまんないなあ。」とポコ君が嘆息した。

「さあもう早くお休みなさい。パパさんに、早く寝るってお約束したんでしょう。せっかくよくなったのに、また苦いお薬を飲まされるのは厭でしょう?」

二階の子供部屋の中で、ポコ君は寝衣姿のまま、窓の側に立ってカーテンの間から外を覗こうとしていた。部屋の中はガスストーヴがついていて暖かだったし、その上に掛けた大きな洗面器の中ではお湯が煮えたぎって白い湯気をあげていた。

「だって今日はクリスマス・イヴじゃないか。特別の日じゃないか。」

「でもポコちゃんはお風邪を引いたんだから、しかたありませんわ。そんなに駄々をこねないの。」

子供はつまらなそうに、クリスマス・トリーの側にいるねえやの方を見上げ、それからまたくるりと窓の方を向いた。しかし爪先立ちをしてもやっと窓枠に届くだけの背丈しかなかったたし、たとえ足台を持って来たところで、窓硝子は湯気に曇っていたから外を見ることは出来なかっただろう。

「ねえやはどうしてそんなに僕を寝かしつけたいの？」と逆襲した。

ねえやはちょっと赧くなり、「どうしてってことはありません。子供は早く寝るものです。」と大いに威厳を示した。それから側へ来てそっと子供の肩を抱いた。

「ちょっと表を見せてよ。」とポコ君が甘えた。

さっきから、表通りの商店街でひっきりなしに掛けている「ジングルベル」のレコードの響が、気をそそるように部屋の中へまで忍び入っていた。ねえやは困った坊やという表情をし、カーテンを引き、窓硝子を少し開いて、ポコ君を両手で抱き上げた。冷たい夜の空気が騒がしい街からの雑音と共に、さっと流れ込んだ。暗い庭の向うに通りがあり、その通りを抜けたところは商店街で、明るい燈火のもとを大人たちが浮かれたり騒いだりしているだろう。

「さあもういいでしょう？」

ねえやは邪険にポコ君を床の上におろした。子供は抱っ子をしてやるにはもう重すぎたし、ねえやは早いところ逃げ出したくて少々気をくさらせていた。子供を寝台へ連れて行った。

「「きよしこの夜」も聞えたねえ？」

「ええ、でももうおしまいの頃よ。」

その讃美歌は幼稚園から聞えていた。ポコ君が窓の外を覗いてみたかったのも、本来はポコ君がねえやと一緒に今晩行ける筈だった幼稚園のクリスマスのことが、気になってどうにも寝る気にならなかったからだ。幼稚園はすぐ通りの向う側にあった。みんな歌ったり踊ったり、サンタクロースからお土産をもらったり……。それなのにポコ君だけは寝かされるなんて。

窓硝子を締めると、「きよしこの夜」の可愛らしい子供たちの合唱ももう聞えなくなった。その代り高らかな「ジングルベル」だけは、宵のくちの騒々しい街の雰囲気を伝えて、気をそそるように此所まで侵入して来た。

「ぼくつまんないや、」とまた嘆息した。

「幼稚園のクリスマスに行けなくっても、ポコちゃんが明日の朝お目めを覚ましたら、サンタクロースが素敵なプレゼントを持って来てくれますよ。その方がよっぽど愉しみよ。ね、早く寝ましょうよ。」

子供はまだ寝台に腰掛けたまま、両足をぶらぶらさせて、小さな豆電球がきらきら輝いているクリスマス・トリーの方を眺めていた。

「何をくれるだろうな？」

「さあ何かしら、ポコちゃんは何がほしいの？」

「ぼく？　そりゃほしいものは沢山あるよ。電気機関車だって、自動車だって、ジェット機だって、人工衛星だって。でも本当に一番ほしいのは……。」

「もう沢山、」とねえやは口を入れた。「さあもうお休みなさい。明日の朝のお愉しみよ。」

子供は不承不承に寝台に横になった。ねえやは蒲団を掛けてやり、にっこり笑った。ポコ君のお相手はまったく骨が折れる。

「ねえや、サンタクロースって本当にいるの？」と子供は薄目を開いて尋ねた。

「いますとも。」

「ほんと？　パパが嘘をついているんじゃない？」

「サンタクロースはちゃんといます。ポコちゃんが眠っている間に贈物を持って来てくれるのよ。だから早く眠らなくちゃ。」

子供はまた溜息を吐き、そっと眼を閉じた。ねえやもまた溜息を吐いた。可哀そうなポコちゃん、お母さんがいないから私に甘えてばかりいる。旦那様も早く再婚なさればいいのに。

ねえやはドアの側のスイッチを捻って天井の明りを消した。クリスマス・トリーの色さまざまな豆電球がきらきら光って、子供部屋の中に夢のような淡い光を漂わせた。遠くの方のジングルベルは一層その音色を高くしている。ねえやは廊下へ出るとそっとドアを閉じた。

2

さあ忙しい。ねえやは大急ぎで階段を下りると、台所に隣合った自分の三畳間へと飛び込んだ。もうねえやじゃない、ポコちゃんのお相手はもうおしまい。今や彼女は正子という名前を持つ一個の立派な人格だった（もっともまだ成年に達していないというのは残念だったが）。ほら彼が「正子さん」と呼んでいる。思わずあたりを見廻したがどうも空耳（そらみみ）だったらしい。それでも正子は急いで台所のお勝手口へ行き、そっと外を覗いてみた。彼はまだ来ていない。ついでにばあやの部屋の気配もうかがってみる。ばあやは風邪気味だというのでもう寝てしまっている。旦那様はお留守、従って正子は今や天下晴れて自由だった。正子がこれから彼に会うとしても、それは彼女のお勤めとは無関係の、彼女の自由意志のあらわれなのだ。何てぞくぞくするような気持なんでしょうね、ボーイフレンドとこんなふうにして会うなんて。まるでジュリエットみたい。そして正子はお勝手の中でにっこり笑った。

彼と識り合ったのは割合に最近のことだ。彼は或る大学の学生で、すぐそこの幼稚園にアルバイトに来ていた。そこでポコちゃんのお伴をして正子が幼稚園に行くうちに、いつしかすっかり仲良しになってしまった。しかし正子のお休みは月に一日しか取れなかったから、今迄にまだデートらしいデートもしたことはない。今晩は幼稚園でクリスマスの催しがあり、正子のボーイフレンドはサンタクロースの扮装をして、子供たちにお土産をくばる役目になっていた。そのついでに、正子にも素敵なプレゼントをすると言ってくれた。勿論そんな場合だから、二人はゆっくり話し合うことも出来ないだろう、と悲観していたら、ポコちゃんが風邪を引いて出掛けるわけにはいかなくなるし、旦那様は会があってお帰りが遅くなることが分ったものだから、正子は昨日彼に速達を出して、幼稚園のクリスマスには行かれないけれど、私の方に会いに来てくれても大丈夫、と通知した。ポコちゃんの風邪のお蔭で、どうやら久しぶりにゆっくり会えそうな見込だったから、正子がさっきからそわそわしていたのも無理はない。彼女はお勝手から自分の部屋へと往ったり来たりし、ばあやの寝息をうかがい、表の気配に耳を澄ませ、とうとう待ちあぐんで、勝手口から庭へ出た。

表は身を切るような寒さだった。「ジングルベル」が商店街の方からひっきりなしに聞えて来た。鋭いサイレンの音がその間を縫って走った。大勢の人が、この晩を面白おかしく愉しんでいるだろう。酔っぱらったり喚いたりしている人、札束を切っている人、敬虔なお祈りを捧げている人、それからもう眠ってしまった子供やお年寄、そして私のように恋人を待っている娘。夜風がどんなに冷たくても、彼女の若々しい心臓は元気に鼓動していた。

表門まで行き、そのくぐり戸を明けるや否や、正子はびっくりして声をあげた。

「あら、もう来ていたの？　そんな恰好で。」

まったく、そんな恰好というのがぴったりだった。白い縁取りをした赤い帽子をかぶり、同じ赤い色の外套を着たサンタクロースが、正子の声に振り返ったが、その顔は真白い口ひげと長い顎ひげとに覆われて、眼ばかりぱちくりさせていた。背中には白い袋を型通り背負っていた。華かな表通りから横にはいったこのあたりは、人通りも少くしんとしている。サンタクロースは門燈の下に立って、さっきから道路の右と左とをしきりに眺めていたところだった。

「お勝手口を明けておくからって、わたし速達に書いておいた筈だけど？　さあ早くいらっしゃい。外に出ると本当に寒いわねえ。」

正子はサンタクロースの手を引くと、急いでくぐり戸の中に連れ込み、裏口の方へ引張って行った。その間にも浮き浮きした声で喋り続けた。

「今晩は本当にチャンスだったわ。旦那様はお留守だし、お帰りはきっと夜中過ぎよ。ばあやさんたらもう白河夜船、だから二人でゆっくりお話が出来るわ。でもね、お願いだからあまり大きな声を出さないで頂戴。ばあやさんが目を覚まそうものなら大変。あなたを家に入れて、お話なんかしていたことがばれでもしたら、きっと旦那様に言いつけられてどやされるにきまっているわ。だからよくって?」

二人は勝手口から正子の部屋へ通った。サンタクロースは大きな声どころか、さっきから一言も口にしなかった。まるで白いひげの間には口が無いみたいだった。眼ばかりぎょろぎょろさせて正子の方や台所の方を見廻していた。

「大丈夫よ、ばあやさんはぐうぐう寝てるんだもの。とにかく楽にしていて頂戴。夜は長いんだからゆっくりお喋りをしましょうよ。私お茶を入れて来るからちょっと待っててね。」

そして正子は「ジングルベル」を口笛で吹きながら、陽気に台所に立って行った。

3

こいつは驚いたぞ。よっぽどそそっかしい女中だ。

サンタクロースは一人きりになると、肩の袋を下して畳の上にどっかと坐り込んだ。それから袋の口を少し開いて中を覗いてみると、ひげの間でにやにや笑った。何とうまく行ったものだ。どうしておれ様はこう頭がいいんだろう。

一世一代の智慧だ、と彼は得意然と考えた。彼は(申す迄もなく稀代の大泥棒、兇悪なる犯人である）この晩、つまり一年でたった一ぺんしかないクリスマス・イヴを当て込んで、巧妙な犯罪を計画した。この晩は誰も彼もが浮かれ気分で、店という店は繁昌し、通りという通りには酔漢が溢れている。それも仮面をかぶったり、サンタのお面をつけたり、風船を手にしたり、色んな恰好をした奴等が千鳥足で歩く上に、爆竹は鳴る、テープは飛ぶ、女は騒ぐというごったがえしだ。そこで彼は、最も人の出入の激しい大衆食堂に眼をつけて、時機到来とばかり今晩その支配人室に忍び込んだ。忍び込むといってもしごく簡単、酔っぱらいの真似をしてふらふらと紛れ込むと、あとはお定まり、ピストルで支配人を威(おど)かして有金残らず袋の中に詰め込む。さて彼が智慧のあるのはそこからだ。相手がすぐさま一一〇番に電話するだろうことは百も承知で、店の裏手の路地に逃げ込むと、そこの芥箱(ごみばこ)の中にかねて隠しておいたのがサンタクロースの衣裳一式。大急ぎでマントを着、附けひげを生やし、帽子をかぶり、札束を白い袋に入れ直して背中にかつげば、誰が見ても広告くばりのサンタクロースとしか見えない。加えるに近所のキャバレーのちらしまで用意しておいたのだから、まさに変装の達人、見えざる人ちゅうの見えざる人だ。そこで悠々と人込の中を、ちらしなどを配りながら、次第次第に現場から遠ざかった。

と、そこまでは計画が図に当った。問題はいつ何処でこの変装をやめてもとの恰好に戻るかだ。彼は横手の暗い通りにそれ、ここら辺で脱ぎ捨てようかとあたりを見廻しての思案の最中に、何と頭の悪い女中につかまえられて、このお屋敷の中に連れ込まれたというわけ。

しかし彼は頭脳の明晰な大泥棒である。腰を下して三秒と経たないうちに、たちまち今さっきの女中の言葉が頭の中で閃いた。これこそ職業的関心というものだろう。つまりこの広いお屋敷の中には眠っているばあやと、あのか細い女中との二人きりしかいない。旦那様とやらはお出掛けらしい。とすれば彼は宝の山にいるようなものだ。あの女中はどうも人違いをしているらしいから、金めの物をさらってドロンすれば、明日の朝までは気がつくまい。いざとなればこのピストルでちょっと威かしてやれば腰を抜かすだろう。

次の瞬間に、サンタクロースは身軽に立ち上るとさっそく部屋を飛び出した。階段を昇って行き、まず手近の部屋のドアをそっと押し開いた。

「サンタのおじさん、本当に、来てくれたのねえ、」と部屋の中からいきなり可愛らしい声がした。

4

「あら何処へ行ったの?」

お茶とお菓子とをお盆の上に取り揃えて、正子が台所から自分の部屋へ戻ってみると、サンタクロースの影も見えない。「おトイレかしら、でも何処なのか私に訊かなければ分らない筈なのに、」と彼女が首をひねっているところに、自分が今来たその同じ台所から、サンタクロースが現れた。

「待たせたねえ、正子さん。」

「あら不思議、あなたお勝手にいたの？」

「だって裏からはいれって君の速達にあったじゃないか。」

サンタクロースは白いひげのある口をもそもそさせてそう説明した。お盆の上の紅茶茶碗から湯気が出ているのを見詰めながら、「すごく手廻しがいいなあ、」と感心して、手を延した。その手を正子が思わず摑んだ。

「ちょっとちょっと。あなたなのね？」

「どうしたっていうのさ、もちろん僕だよ。ああこの恰好か。幼稚園でサンタクロースを勧めたから、いっそこのまま来て正子さんにプレゼントをあげた方が感じが出ると思ってね。しかしなかなかよく似合うだろう？　子供たちみんな大悦びさ。そこでプレゼントだけど……。」

「ちょっと待って。お喋りねえ。」

「お喋り？　いつだって僕はこの位は喋るよ。僕は自動車会社に就職がきまったたって、この間正子さんに教えてあげたでしょう。あの会社にはいると最初のうちはセールスマンをやらされるんだってさ。だからお喋りも芸のうちだ。」

「だけどさっき迄は……。」

「来年のクリスマスには自動車の一台くらいプレゼントしてあげるぜ。しかし今年はアルバイト学生の身だからそうはいかない。つまらない品物だけど勘弁してくれるね。これでも色々考えたんだけどね……。」

「待ってよ、あなたいつ此所へ来たの？」

「いつ？ しっかりおしよ。今じゃないか。」

「今って、あなたうちの門のところでわたしに会って、それから此所まで一緒に来たわねえ？」

「冗談じゃない。今ひとりで来たとこだよ。門からはいり込む時はちょっとおっかなびっくりだった。パトロール・カーが走り廻っていて、僕がこんな変な恰好だものだから、お巡りが厭な眼つきで睨むんだからね。一体どうしたのさ？」

「あなたがあなたなら、さっきのサンタクロースは誰だろう？」

正子は見る見るうちに真蒼になって倒れかかった。

「誰かいるのかい？」とサンタクロースも口ひげを顫わせた。

「それがいるのよ。わたしぼんやりして人違いをしたわ。そう言えばさっきのサンタクロースはちっとも口を利かなかったし。」

「何処にいるんだい、そのサンタクロースは？」

「あら大変だ。ひょっとしたらポコちゃんのとこじゃないかしら。」

そう言ったなり彼女は後をも見ずに部屋を飛び出した。忽ち一個の人格は消え失せて、ねえやが階段を昇って行った。そのあとから、赤い帽子に赤いマントを着たサンタクロースが、慌てて追いすがった。

5

「そりゃサンタクロースはいるさ、」とサンタクロースは言った。

「本当だね。ぼくね、少しばかり嘘かもしれないと思っていたんだよ。幼稚園でお友達といろいろ相談をしたんだけど、本当にいるって言う子はとても少いんだ。」

「お前は信じる方かね？」

「ぼく？　ぼくも実は困っていたんだ。だってぼくがいるって言うと、みんなが、ポコちゃんは小さいからね、赤ん坊だからね、って言ってぼくを馬鹿にするんだもの。」

「ふん、怪しからん餓鬼どもだ。」

「餓鬼って何、おじさん？」

「お前はポコちゃんって名かい？」

「ああそうだよ。」

寝台の上にちょこんと坐って、ポコ君は実在するサンタクロースと対面していることですっかりいい気持になっていた。風邪がなおって今度また幼稚園に行ったら、彼はこの得がたい経験をお友達に話して聞かせることが出来るだろう。小さい子供、つまり赤ん坊は、夜中に眠ってしまうからサンタクロースの来たのにも気がつかない。しかし彼ポコ君は、ちゃんと眼を明けて、絵に描かれている通りのサンタクロースに会い、お話までもしたのだ。

「だけどぼく、やっぱり分らないこともあるんだよ。だってサンタのおじさんは、となかいの引く橇(そり)に乗って、煙突の間を抜けてはいって来るんだってね。うちには煙突なんかないもの、それでどうして来られるんだろう？」

「そりゃ段々に仕来り(しきたり)が変ったのさ。いつ迄も旧式じゃいられねえさ。」

「そうか、じゃとなかいの橇に乗るわけじゃないのね？」

「そんなものは時代おくれさ。」

「煙突も要らないの？」

「当り前だ。」

サンタクロースは思わず喚いた。彼は子供とこんな悠長な会話を交してはいられない。

パトロール・カーはぞくぞく集って来ているだろうし、非常線はとうに張られているだろう。このお屋敷でついでにもう一働きしようと欲ばったのは、頭のいいおれ様にも似合わない軽はずみだ。さっさと逃げ出さないと、さっきの女中が騒ぎ始めでもしたら大変だ。

「それでおじさんは、一体何を持って来てくれたの？」とポコ君が訊いた。

6

ドアがさっと開いてねえやが子供部屋に飛び込んだ。

「ポコちゃん、」と半分もう泣声で。

「ねえや、ほら、本当のサンタクロースだよ。」

しかしポコ君は、そう得意になって教えたあとで、今度はびっくりして飛んでもない大声を出した。

「あらあら、またサンタクロース！」

しかしびっくりしたのは今迄そこにいたサンタクロースの方だった。びっくり箱が開いたように、ねえやのあとから、自分の姿かたちと寸分違わないサンタクロースが、ドアの中へぴょんと飛び込んで来たのだから。

た。

「わあ面白いね、サンタクロースが二人もいるなんて。」

ポコ君は夢中になってそう叫んだが、それから眼をぱちぱちさせて、

「でもねえや、二人いる筈はないねえ、」と気がついた。

ねえやは寝台の上に身体を投げ出すようにして、しっかとポコ君の手を握り締めていた。

「ポコちゃんは夢を見ているのよ。さあ早く寝んねしましょう。あなたたちは出て行って。」

「駄目だよ。サンタのおじさんは一人きりだから、どっちかが間違いなのよ。」

「おれは本物だよ、」と最初のサンタクロースが渋い声で言った。

「僕は、……」と二番目が言いかけたところに、ねえやが大急ぎで口を入れた。

「こっちの方が本物よ、正真正銘のサンタクロースよ。ね、そうでしょう?」

ねえやにしてみれば、これが彼女のボーイフレンドだとばれでもしようものなら、ポコ君がパパに何と言わないものでもない。そんなことになったら大変。顫えながらせっせと恋人に目配せをした。

「本当なの?」とポコ君。

「本当とも。僕はまじりっけなしの、一流の、どこに出しても恥ずかしくないサンタクロースです。国内のみならず海外に於ても広く認められています。一流のメーカー品は

結局はお得です。安物を買っちゃいけません。流線型で、上品で、見るからに芸術的で……。」

「素敵だね、まるで最新型の自動車みたいなサンタクロースだね。」

「サンタクロースは自動車になんか乗って来るんじゃねえ、空を飛んで来るんだ。なあポコさんや、」と最初の方のサンタクロースが言った。

「そうだよ、どうもあとの方が嘘のサンタみたいね。」

「いや、僕の方が本物だよ。現に僕は子供たちに今まで贈物を配っていて、やっとこの家に着いたんだからね。」

「それじゃぼくにも持って来てくれた？」

あとの方のサンタクロースは、そこでぎっくりして身をよじった。そのかすかな気配を子供はじきに看て取った。

「サンタのおじさんなら、きっとぼくの一番ほしいものを持って来てくれた筈さ。さあ早く頂戴よ。」

困ったように、サンタクロースはもう一人のサンタクロースの顔を見た。そこへ助け船を出したのはねえやだった。

「でもポコちゃん、サンタのおじさんは子供たちが眠っている間に、そうっと贈物を置いて行くのよ。お目めの明いている子供のとこには置いて行かないの。だからポコちゃんが眠ってから、きっといいものを置いて行って下さるわ。ポコちゃんは早くお寝んねしなくちゃ。」

「それもそうね、」と子供は納得した。「それじゃぼく寝るから、みんなで歌をうたって。」

二人のサンタクロースは同時に深い溜息を吐いた。

「「ジングルベル」を歌いましょうね、」とねえやが言った。

そこでバスとテノールとソプラノからなる合唱が狭い子供部屋の中に響き渡った。それはどんな天使でも耳を傾けて一緒に歌いたくなるような、優しい合唱だった。

7

合唱が終らないうちに、子供はもうすやすやと寝息を立てていた。

「あなたは誰なの?」と正子は(再び一個の人格に戻って)訊いた。

「お前さんたちは、どうやらいい仲らしいね、」とサンタクロースはせせら笑った。

もう一人のサンタクロースは赧い顔をしたが、どうも口ひげや顎ひげのせいで、それは相手にさとられずに済んだ。しかし正子の方はぐっと踏みこたえて、相手に逆襲した。

「あなたが誰であれ、ポコちゃんにした約束だけは果して下さい。贈物をあげるって言った以上、本当にあげて下さい。この子は本当にサンタクロースを信じているんですから。」

「おれは何も持っちゃいねえよ、」と最初のサンタクロースがそっけなく言った。

「弱ったな。僕だって正子さんのために買って来たものしか持っていないんだよ、」と二番目のサンタクロースが言った。

「二つなんか要らないのよ。一つだけ、何でもいいからポコちゃんに贈れば済むのよ。どっちが本物のサンタクロースでも構わないの。ただサンタクロースが本当にいるってことが、この子のために大切なのよ。」

その時、階下で玄関の呼鈴が鳴り渡った。

「大変、旦那様のお帰りだわ、」と喘ぐような声で正子が言った。

「しまった、デカかもしれん、」とサンタクロースが口の中で呟いた。

「お勝手口から逃げて、」と言いざま、まず正子が子供部屋を飛び出した。あとの二人も泡を食って階段を駆け下りた。しかしそのうちの一人が、大慌てに慌てながら、子供部屋に引返したことを、先に立った正子はちっとも知らなかった。

8

ねえやが子供部屋にはいって行くと、ポコ君は寝衣のまま部屋の中を歩き廻っていた。

「ポコちゃんお早よう。もう起きていたの?」

「うん、やっぱり電気機関車だった。これはきっとパパがくれたんだ。ところがもっと素敵なもの、本当はぼくがほしくてほしくてたまらなかったものがあったよ。ねえや、何だか分る?」

「さあ何でしょうね。」

「ほら、これ。」

ねえやは思わずきゃあと言った。ポコ君が重たそうに両手で抱えるようにして、こちらに狙いをつけているもの。

「これ本物の保安官のピストルさ。ぼく玩具じゃない本物のピストルが、ほんとは一番ほしかったの。でもパパはいけないって言うんだもの。やっぱりサンタクロースは偉いや。子供の本当にほしがっているものをちゃんとくれるなんて。パパなんか駄目さ。親切なサンタクロースがぼく大好きさ。」

「ポコちゃん――。」

「ぼく分った。サンタクロースって二人がかりでお仕事をしているんだね。子供たちが沢山いるから、みんなに贈物を配って歩くのはとっても大変なんだ。きっと間違えて、ぼくのところに二人とも来ちゃったのね。」

「ポコちゃん、お願いだからそれをねえやに見せて頂戴。」

重たすぎて、ややもすればポコ君の両手の掌の間から落っこちそうになるピストルの上に、窓のカーテンの間から洩れて来る朝日の光が火花のように射し込んだ。

クリスマス・イブの出来事

星新一

星新一（ほし・しんいち）
一九二六―一九九七。千篇を超す作品を生み出したSF作家の第一人者。『ボッコちゃん』『悪魔のいる天国』など著書多数。

クリスマス・イブの夜おそく、その家の主人はふと目をさました。どこかで物音がしたのを聞いたからだ。耳をすますと、人が動きまわっているようなけはい。

彼は別室で眠っている妻子のことが心配になった。そっと起きあがり、懐中電灯と猟銃を手にし、音のした方角へと近づいた。そして人影を発見し、声をかけた。

「動くな。動くとうつぞ」

相手はのんびりした声で応じた。

「なんでしょうか。わたしのことですか」

「なんでしょうかとは、なんだ。夜、無断でひとの家に入りこんで、なにをしている」

「ごらんの通りです」

「見たところとなると、泥棒だな」

「とんでもない。ちがいますよ」

「ほかに考えられないではないか。第一、その変な服はなんだ」

赤い服と赤ずきん、白く長いひげと長靴。サンタクロースのかっこうだった。

「いけませんか。これがわたしの服装なのですから、仕方がないでしょう」

「いったい、おまえはだれだ」

「サンタクロースです」

「そんなことはわかっている。名前を聞いているのだ」

「ですから、サンタクロースですよ」

「どうしても答えない気だな。なにも無理に聞く必要はない。あとは警察がやってくれるだろう」

主人は大声をあげた。それを聞きつけ、男の子が起きてきて叫んだ。

「わあ、すごいな、パパ。強盗をつかまえたんだね。わざと赤い服で人目をひき、人相への注意をそらそうとしているんだ。きっと悪がしこいやつだから、気をつけなくちゃだめだ。まず足に一発ぶちこんで、逃げないようにしたほうがいいかもしれないよ」

主人は興奮してさわぐ男の子に言いつけ、警察へ電話をさせた。まもなくサイレンの響きとともにパトロールカーが到着し、老人を引き立てていった。

警察ではただちに取り調べを開始した。

「さあ、おとなしく白状してくれ。年末で忙しい時だ。迷い子、酔っぱらい、スリ、交通事故、金銭のごたごた。手がたりなくて弱っている。協力的なら、悪いようにはしない。おまえはサンタクロースとしてやとわれたが、今夜で失職となる。そこで、正月を迎える資金かせぎが目的で、忍び込んだのだろう」

「ちがいます。わたしが盗みなどをやるわけがないでしょう」

「どういう意味だ」

「わたしはサンタクロースですよ」

「いいかげんにしてくれ。ただ冗談で侵入したというのか。きょうは十二月二十四日で、四月一日ではないのだぞ。さあ、名前と住所を答えろ」

「サンタクロースです」

警官は顔をしかめ、ちょっと考えてから、思いついたように言った。

「ははあ、酔っているな。息を吐いてみろ」

サンタクロースはそれに従った。だが、酒くささは少しもなかった。

「これで、信用していただけましたか」

「酔っていないことは信じた。だが、疑いが晴れたわけではないぞ」

警官は上司と相談し、病院へと送りこんだ。精神科の医者は事情を聞いてつぶやいた。

「社会が複雑になると、妙なことを考える者がふえるものだ。おれは神だとか、大金持ちだとか、天才だとか称する患者は多いが、自分がサンタクロースであるという妄想の持ち主は珍しい。こんな症状は前例がないぞ」

そして診察室へ入り、サンタクロースを診断すべく、質問にとりかかった。

「ところで、あなたはいつごろから、自分をサンタクロースだと信じはじめたのですか」

「もの心がついた時からですよ」

「これは重症のようだ。しかし、いいですか、もしあなたがサンタクロースならば、みんなにプレゼントをくばることができるわけでしょう」

「もちろんです。そのために、わたしがやってきたのですから」

「それなら、いまここで出して下さい。そうすれば、みとめてあげましょう」

「いいえ、それはできません」

「困りましたな。できると言い、できないと言う。自分の発言の矛盾にさえ、気がつかないようだ。なおすのは大変かもしれない。強い衝撃療法など、少しは荒っぽいこともしなければなるまい。これから治療方針を相談してくる。ここで待っていなさい」

医者は部屋を出た。だが、戻ってきた時には、サンタクロースはいなくなっていた。

「さては逃げたのだな。まあ、おとなしそうな患者だから、そう大さわぎをすることもないだろうが……」

そのころ、サンタクロースは煙突を抜けて屋根の上にいた。合図をすると、八頭だてのトナカイのソリが空を滑ってやってきた。サンタクロースはそれに乗りこむ。

「さあ、早いところ帰ろう。こんな世の中になっては、どうしようもない。プレゼントなど、くばる気になんかなるものか。途中で海にでも投げ捨てたほうがまだましだ。来年からは、もう絶対に来てやらないからな」

トナカイたちは走り出した。美しい鈴の音は、やがて暗くつめたい冬の空でかすかになり、ついにはどこへともなく消えていった。

メリイ・クリスマス

山川方夫

山川方夫（やまかわ・まさお）

一九三〇―一九六五。「演技の果て」「海の告発」など五作が芥川賞、「クリスマスの贈物」が直木賞の候補となる。『愛のごとく』『夏の葬列』など。

　ある秋の夜。むし暑く、寝苦しいまま、彼はアパートの手すりにもたれて、目の下にひろがる都会の夜を、ぼんやりと眺めていた。彼の部屋は、都心に近い高層アパートの、それも最上階にあった。

　月の美しい夜ふけで、空は月のまわりだけ穴をあけたように明るく澄み、淡い煙に似た薄い雲が、ときどきそのまんまるな月の前を流れていた。しばらく風に吹かれてから、彼が部屋に戻ろうとしたとき、ふと、背後にごく小さな——まったく、ごく微かな、しかし明瞭な女の忍び笑いが聞こえた。びっくりして彼は振りかえった。背後には、高い夜空に突き出したアパートの手すりと月光のほか、なにひとつあるわけがなかったのだ。

　しばらくのあいだ、彼は口をポカンとあけ、自分が精神錯乱におちいったのだ、とくりかえし思いつづけた。月光に青白く光る手すりの金棒に腰をかけて、豆つぶほどの一人の女が、脚を組み、手を唇にあてて笑っている。小さな、しかしあきらかに若い女性だけのもつ愛らしい澄んだ忍び笑いが、そこから、彼の耳にとどいてくる。

　蟋蟀(こおろぎ)や、鈴虫やの見まちがいではなかった。彼は自分の耳を疑い、目を疑い、顔を近づけてしげしげとその若い女性のミニアチュアのような生物を観察した。それは、大きささえ無視して考えれば、まったく人間の若い女性、それもかくべつ美しく魅力的な女性と、かわるところがなかった。

漆黒のやわらかな髪が肩まで垂れ、まるで月の光を凝固したような色のスーツは、胸のこんもりした双つの丘のしたで花籠のように緊（しま）って、腰から腿にかけてのカーヴをひときわ魅惑的にしている。真白な肌。小さな紅い唇。形よくのびた脚のさきには、服とおなじ銀色の小さなハイヒールが、キラキラと光を弾いている。……しかし、その身長は、わずか5センチにみたない。

睫毛の深いせいか、その目は大きく見え、そして女は——どうみても完全な女性だった——笑っていた。愛らしく。無邪気に。彼の心に沁みるように。

思わず、彼は手をさしのばした。開いた彼の掌は汗ばみ、彼女にとっては、それはレスリングの選手の汗にぬれたマットみたいなものだっただろう。が、躊躇なく彼女はひらりとその巨大な掌のくぼみに降り（マッチ棒二、三本ほどの重さだった）、彼を見上げながらニッコリと笑いかけた。

「……私を好き？」

話しかけているのは、声ではなかった。それは彼女の目なのだった。

「いい？　あなたも目で話すの。お祈りと同じだわ。声なんか出しちゃ駄目よ。だって、私、吹き飛ばされちゃうかもしれないもの」

「……わかった。目で話そう」

それが、彼が彼女に逢い、目で言葉をかわしはじめた最初だった。……いつのまにか、彼はたとえそれが夢であり、自分の狂気がつくりあげた幻影であるとしても、彼女といるその時間を失うのが惜しくなりはじめた。彼女が、どこからどうやってこの高層アパートの最上階に来たのか、彼女の正体はなにか、そんなことはどうでもいいと思った。問題は、いまげんに彼女がぼくの目に見えているという事実だ。せっかくやってきたこの可愛らしい、貴重な、すばらしいお客を失いたくない。ただそれだけで彼は夢中だった。

「……ねむいわ。どこか眠るところない？」

やがて、彼女はいった。彼は、そっと両手でかこうようにして彼女を自分の机の上に運び、その抽斗（ひきだ）しの一つに、柔らかな絹ハンカチと綿とで彼女のベッドをつくった。

「おやすみ」

未練な自分の気持ちをそこにしまいこむみたいに、彼はそっと抽斗しを押してやった。

彼女はベッドの上で大きな欠伸をしながら、机の中にかくれた。

彼は、自分がふたたび彼女を見ることができるとは、つまり明日もこの錯乱がつづいていることは、信じられなかった。だが、彼はその抽斗しを閉めるとき、通風のごく細い隙間をのこすのを忘れなかった。

眠りこけている妻のとなりのベッドに横になると、彼は、しばらくは煙草をふかしつづけた。ばかげた幻覚だと思った。が、奇妙に幸福な気分ものこっていた。……ふと、妻の寝息がうるさく耳についた。停車中の巨大な機関車のような眠っている妻をながめ、そのときはじめて彼は、結婚してまる三年、妻への自分の愛が、いまでは一つの義務に似た負担になっていることをはっきりと感じとった。

翌日の出勤まえ、念のため昨夜の抽斗しをひらいて、彼はあやうく声をあげるところだった。小さな彼女は、ちゃんとそこにいたのだ。

「もうお出かけ？」

眩しげに目をひらくと、いたずらっぽく彼女は笑いかけた。「安心してらっしゃい。私、あなたに無断で消えちゃったりはしないわ。ほんとよ、当分ここにいるわ」

そのときとなりの部屋から妻がいった。

「早くしないと遅れるわよ。大丈夫なの？」

まるで雷鳴のように、無数のバケツを土間にほうり出したみたいに、その声は彼の全身にひびいた。……ふつうの声音だったのだが。

それから、彼と身長５センチの彼女との交際がはじまった。彼は毎日いそいで会社から帰ると、抽斗しの鍵をあける。（ただの夢ではなかったとわかったとき、彼は彼女の部屋を鍵のかかる抽斗しへと移した。鍵穴は通風孔によかった。）そして、いつもなにから伝えようかと惑いながら、彼女との「目で」のお話をはじめる。

どうやら、彼は気が狂ったのではなかった。小さな彼女は幸運の女神なのか、会社での勤務も評判がよく、彼の位置も課長補佐にあがった。ただ、彼はだれにも――もちろん、妻にさえも――この小さな彼女のことはいわなかった。彼女は、彼の、彼だけの大切な秘密だった。

彼女との話はたのしかった。おそらく、彼女はちがう星の生物に違いなかった。彼は、彼女から、月が四つある星の話や、それらの星たちの上での奇妙な習慣、彼女の星では実現されているタイム・マシン、宇宙旅行用のロケットの話など、彼には想像もつかない別世界の話を聞くのだった。その中にはロボットの話もあったし、意のままのものを出現させたり、時間、空間を無視して、自分を好きなところに、好きな形で存在させうる星の生物たちの話も、自分たちの手で作りあげたエネルギーで全滅した星、宇宙間の戦いの話もあった。また、いまごろ旧式の空飛ぶ円盤におどろいている星や、その存在を信じないという、彼女にいわせれば「知能の遅れた生物」の支配する星での出来ごとなどもあった。

彼女の衣裳は、そのときの光によって変化するのだった。月夜には月光の色に、太陽の照る昼は、きらめく黄金色に、朝は昧爽（まいそう）のバラ色に、夕暮にはあたたかい茜色に、そして雨の夜は、正確にその濡れた闇の色に。彼女は、まるで空気だけで充分だというみたいに、なにも食べなかった。いつもニコニコと蠱惑的にやさしかった。彼が目ざめたときに目ざめ、彼が眠るときに眠り、彼が見ていないときは、まるでどこにも存在しないもののように、彼女も彼を見ない。……

彼の生活は、この5センチたらずの彼女をめぐってまわった。毎日、彼は飽きもせず彼女の話を聞き、彼女に見惚れつづけた。彼女はしだいに彼には欠くべからざるもの——恋人に近いものになっていった。彼は彼女を愛し、彼女といっしょに話しあっているときが、彼にとっての最高の幸福な時間だった。彼は、ほとんど妻をかまいつけないようになった。

小さな彼女、無言で話す彼女に親しみを深めて行く彼にとって、妻は、なんとしても大きすぎ、その声はそうぞうしすぎた。いつのまにか彼は、身長5センチの彼女の仲間入りをし、その目で妻を見、その耳で妻の声を聞くようになっていたのかもしれない。かつて愛した妻の肌は、いまは毛穴ばかりが目立つグロテスクな象の皮膚でしかなかった。湯上りのときなど惚れぼれしたその淡紅色に染った白い肌も、いま見ると皺だらけの、やたらと赤い斑点を散らしただんだらの臭くて粗悪なゴムの延板にすぎない。しかも皺にはかならず脂と汗がひかり、毛穴からは剣のようなおそるべき剛毛が突き出ている。

いちど接吻をしようとして、彼は吐気と恐怖とをかんじて身をそらせた。鯨が口をあけたような、赤い洞窟を思わせる巨大な暗がりのなかに、核分裂によって膨張した奇怪なアミーバみたいな舌がひそみ、それが無数のいぼを密集させて動くのがなんとも醜怪でたまらず、おまけに自分がそのぬるぬるの赤い洞窟の中に吸いこまれ、嚥みこまれてしまうような気がしたのだ。

「……どうしたの？　どうかしたの？」

うすく目をひらいて、妻が訊いた。彼は、思わず耳をおさえ、顔をしかめて叫んだ。

「うるさい！　だまってしゃべれないのか？」

妻は黙り、目をうるませて横を向いた。怒った表情だった。その夜、彼は二人のベッドを部屋の中のできるだけ遠い場所へと離した。

「……ねえ、なにが気に入らないの？　いってよ。……ねえ、なにかいったらどう？」

ベッドに坐ったまま妻はいった。彼はいいかえした。

「いったい君は、どうしてそんなに言葉をほしがるんだ？　人間は、みんな言葉にならないもので生きてる。言葉にはならないところに本当のぼくたちはいるんだ。言葉なんか不要で、それで心が通じあわなくって、それでどうして夫婦なんていえるんだい？もう、いいから黙っててくれ」

「だって、私……」

「たのむ、黙っててくれ！」

妻はぷいと立ち上ると、ベッドを下りて三面鏡に向かった。彼は蒲団をひっかぶった。

彼と妻とのあいだは、だんだん疎遠になり、反比例して彼の小さな彼女への思いはつのった。妻とのしらけた時間のあと、だから彼はかならず抽斗しの鍵をあけて5センチの彼女と「目」で話すのに熱中した。

ああ、自分も5センチの小人になり、同類となって同じ机の抽斗しの中の、マッチ箱ほどのベッドに横になって彼女を抱くことができたら、彼女と結婚することができたら、どんなにすばらしいだろう！

あまりにも小さな彼女をみつめながら、彼は、ときどきどうにもならぬ欲望のとりこになり、狂ったようにシャワーを浴びたり、ベッドを撲りつけたりした。5センチの彼女はあいかわらず魅惑的で、やさしかった。もしサイズさえあったら、きっと妻になってくれるだろう。なんとかして自分を小人に、または彼女を自分と同じ大きさの人間に、つまり二人の体格が合うようにできるものだったら、彼はきっとなんでも捨てただろう。

……

欲望に燃えたつからだに、刃物のように鋭い風がかえってひどく快かった。季節はすでに冬に入り、いつのまにか、十二月の終りちかくになってしまっていた。

彼はまたアパートの手すりにもたれていた。木枯しが夕暮の街をはしり、胡麻粒のように見える人も、みんな外套の襟を立てて、うつむきがちな速足で歩いていた。彼はぼんやりとそれを見下ろし、その日の朝刊の見出しをけんめいに思い出そうとしていた。沸るような欲望を抑えつけるときの、それは彼のいつものお呪いだった。

「……月が出たわね」

気がつくと、煤けたような夕暮の色のスーツを着た彼女が、手すりの金棒に腰を下ろしていた。

「オレンジ色なのね。今夜の月」

彼女の目が語るとおり、東の空に蜜柑色の巨大な月が顔を出して、それがいま、ちょうど影絵になったビルの頂上をはなれようとしていた。

「ながいあいだお世話になったわ。でも、今夜ここを立ちます」

「え？　今夜？」

「ええ」

彼の目は無言だった。しばらくは、彼女の目もなにもいわなかった。

「私の休暇は、今日でおしまいになったの。それで、べつの星に、そこの生物に生まれかわりに行かなくちゃならないのよ」

「生まれかわる？」

「ええ。まだまだ知能の遅れた星がいっぱいあるのよ。そこの星の生物の心の指導者になりに行くの。その星で、しばらくその星の生物になってから死んでみせるの。つまり生き方のモデルね。……そこの星では、私のことを神さまなんて呼ぶのよ」

「神さま？」

「ええ。あなたの星の生物たちのあいだには、神さまはない？」

「あったよ。だけど男だった」

「女の神さまの星もあるのよ。そこでは指導者らしく、いちばんその星の生物のイメージの中での、崇高で美しいすがたになることになっているの」

「じゃ君は、神さま？」

「ちがうわ。向うでそう呼ぶっていってるだけ。それに私、この星には、ただ休暇をつぶしにやってきただけですもの」

　彼はさらに聞こうとした。いったい、彼女はどこの、なんという生物なのか。だが、すると彼女は笑いだした。はじめて秋の夜に聞いたのとおなじ、愛らしく、無邪気な、心に沁みるような澄んだ笑い声で。

「……あなたがたは、あなたがたのわかっていることしかわからないのよ。だから、いくら私のことわかろうったって無理だわ」

月はだいぶ上り、彼女のスーツもしだいにオレンジ色になりはじめた。

「……あ、来たわ。お友だちが」

彼女は金棒の上に立って、その横に、やはり同じ色の背広を着た5センチほどの青年が一人、にこやかに彼に笑っていた。

「この人ね、これから太陽系の中にある星に生まれに行くの。その星の汚ない馬小舎の中で生まれてね、うんとゲンシュクな顔になってお説教をしてね、そこで裏切られて、ハリツケにされて殺されちゃうのが役目なのよ」

「たのしい休暇でした」と、青年も目で話した。「私たちは、しばらく骨休みにこの星にあそびに来ていたんです。ずいぶん昔、私たちの仲間の一人が神さまになったはずのこの星の生物たちが、その後どんな心の動き方をするようになったか、それを参考にしがてら」

「新しい神さまが必要なようね。どうやら」と、彼女は青年の言葉にうなずきながらいった。「ここの星の人は、みんないつも不安なのね。きっと愛することを忘れちゃっているのね」

「まったく、みんなわがまま放題でね」

と、青年も和した。

ふいに片手をあげ、痩せた色白の小さな美青年は、いささか茶目っけのあるしぐさで、彼の背後を指さした。

彼は振りかえった。妻がそこにいた。妻はじっと青年の目をみつめていた。

「もしぼくがお相手になっていてあげなかったら、奥さんだって、あなたがかまいつけないのを、そうそう黙ってほってておかなかったでしょう……ね、奥さん？」

青年は笑った。

「じゃ、さよなら。これであなたがたの星とも、あなたがたともお別れです。ご幸福に」

「さよなら。お元気でね」と、小さな彼女もいった。

5センチの美しい男女は、彼ら夫婦がさよならも目でいえないうちに消えた。あとには冬の月光を浴びた手すりだけが光っていた。

「……あの小さな男、あいつはいつごろからあらわれたの？」

と、彼は妻に訊いた。妻は、月のほうに目を向けたまま答えた。

「今年の、秋の夜よ。たしかお月さまがとってもきれいだった晩だわ」

「そうか」

と、彼はいった。

「あなたは、あの小さな女のひと、どこにかくしてたの？」

「机の、抽斗しの中さ」

「そう。……私は、三面鏡の抽斗し」

妻のその声音が、ふと彼にひどくなつかしい、確実な手ごたえのある甘くあたたかなものに聞こえた。彼は妻の肩を抱いた。……とにかく、ぼくたちは同じサイズなんだ。と彼は思った。他の星の生物たち、わけのわからない神さまたちなんてものは、たとえ存在するとしたって、ぼくらには幻影とおなじなんだ。どんなに頑張っても、やはり等身大の大きさの同類しか、ぼくたちは、本当には愛することができない。……

妻の肩はやわらかく、その下で生きて動いている鼓動が、彼のそれと一つになり、しだいに高く、速くなった。二人は寒さを忘れていた。

目の下にひろがる夜の都会は賑やかで、舗道には車と人間があふれていた。今夜は、ひときわネオンも美しく夜空に映えているように思える。たのしげな音楽も流れてくる。

ふいに妻がいった。

「……そうだわ。今夜は、クリスマス・イヴなんだわ」

二人は目を見あった。そのとき二人には言葉は要らなかった。二人は、おたがいの中に、それぞれ今夜生まれたあたらしい生命の貴重さを眺めていた。

マッチ売り

半村良

半村良（はんむら・りょう）

一九三三―二〇〇二。『雨やどり』で直木賞、『岬一郎の抵抗』で日本ＳＦ大賞。『黄金伝説』『どぶどろ』など著書多数。

両側に酒場ばかり並んだ夜の街を、貧しい花売り娘が歩いて行きます。

細い腕にかかえられた花束は、明日の朝日に当ったら、ポトリポトリと花びらが落ちてしまいそうです。

寒い十二月の風は容赦なく、外套も着ない花売り娘に襲いかかり、寒さにこごえる少女の顔は、かたく無表情になっています。

花束のよく売れる日もあるのですが、こんな日も少くありません。ひとつも売れないどころか、どの酒場でも彼女を不機嫌に追い払うのです。

クリスマスで景気がいいはずですのに、どうしたというのでしょう。

花売り娘は、立ち止るとひとつの看板を見上げました。

『舶来居酒屋　馬酔木（あしび）』

そう書いてあります。このお店は、いつも少女に優しくしてくれるお店です。ひとつも花束の売れない花売り娘が、最後のたよりにしている場所なのです。時間ももう、いつもよりだいぶ遅くなっています。少女は祈るような気持で、そのお店へはいって行きました。

そのお店も、やはり混んではいません。今年のクリスマスは不景気なのでしょうか。

「実際伊丹って奴は要領がいいからな」

たったひとり、酔った客がカウンターにいて、三、四人の女を相手に喋っています。その客が煙草を出してくわえると、隣りに腰かけていた女が、胸のぐっとひらいた洋服の、どうやらブラジャーのあたりからマッチを取り出して、火をつけます。

客はうまそうに一服吸うと、マッチ箱を元に戻す女の指先きを眼で追いながら、

「うた子は伊丹が好きだったんだろ」

と、たずねます。うた子と呼ばれた女は、悲しそうにうなずきます。うなずいた頰に、ひとすじのなみだが光りました。クリスマスの晩に泣くなんて、きっとふしあわせな女なのでしょう。

うた子という女の泣くのを見て、此のお店のマダムは、ぶっきら棒な大声で、誰に言うともなく言いました。

「クリスマスを家族とすごそうなんて、いったい誰が言い始めたんだろうねえ。毎年少しずつクリスマスが静かになって行くと思ったら、とうとう今年はこの通りだもの」

マダムは三、四年前までの、あのクリスマスの馬鹿騒ぎを懐かしみます。と同時に、

うた子のなみだでいっそう沈んで行くこのお店の空気を、そのあけすけな愚痴で少しでも救おうとするのでしょう。酒場のマダムは、船の船長さんのようなところがあります。ですが、ガランとしたお店の中に、派手な服を着た六人の女達とクリスマスの飾りがあざやかに浮き上って見えるのは、それだけひまで、さむざむとしていることでもあります。名船長の腕でも、沈みかけたこのお店の空気は救えないようです。

「でもあいつの事は諦めたほうがいいよ。溝口先生のひとり娘との縁談じゃ、伊丹にはことわり切れないよ。それに、伊丹がタイムマシンの研究にとりつかれたようになっているのは、うた子だってよく知っているはずじゃないか。好ききらいのほかに、彼の一生の仕事のことまでついているのだから、もし本当にうた子が伊丹を愛しているんだったら、うた子のほうから身をひいてやったらどうだろうかね」

　客はひょっとすると、可哀そうなうた子に別れ話をするよう、たのまれて来たのかも知れません。ウィスキーを飲みながら、そんな嫌なはなしを、さらりと言ってのけます。

「それじゃうたちゃんが可哀そうよ」

　マダムは堪りかねて、ふたりの中へ割ってはいります。

「うたちゃんはおとなしいから、黙って泣いているだけだけど、それじゃあんまりよ」

　店の中の女達も、そうくちぐちに言って、たったひとりの客に迫ります。日ごろのうた子の献身ぶりを、彼女達は美しいものと思って、かげながら応援していたのです。

客は女達の総攻撃に、困ったような苦笑で、

「悪いのは伊丹だよ。俺は関係ないさ。それどころか、俺はうた子のファンなんだぜ。伊丹のかわりになりたいくらいさ」

と、ごまかします。店中の女に同情を示されて、気の弱いうた子はカウンターに顔を伏せ、とめどなくなみだを流しはじめました。

そんな時、寒さに表情をこわばらせた花売り娘がはいって来たのです。花売り娘には、不運なことでした。

「今晩は。お花買って下さい」

花売り娘の震え声は、不景気にいらいらしているマダムの神経に、ピクリと触れます。うた子に別れ話を持ち出して、女達の総反撃を食った客は、不機嫌の捨て場所をみつけて、冷い眼で少女を睨みます。

女達は、仲間のうた子のほかに、もうひとりふしあわせな仲間の増えたのを醜い物でも見るように、しらけた気分で無関心を装います。

花売り娘は、頼りにしているこのお店で売れなければ、今夜は一円玉ひとつ持って帰れないので、必死です。ですから、いつもよりはずっと強情に、女達の背後に立っています。

「俺は花なんかいらんよ。おねえちゃん達に買ってもらいいな」

「お願いです。お花買って下さい」

「誰か買ってやれよ。クリスマスの晩にこんなちっちゃな娘が花を売ってあるくんだ。可哀そうじゃないか。そうだ、アンデルセンの童話にそんなのがあったな」

客は口では優しそうなことを言います。けれど、その冷い眼を見れば、金輪際買う気のないのが判ります。きっと意地になっているのでしょう。

「冗談じゃないわよ」

マダムが吐きすてるように言いました。

「私たちだって、マッチ売りの少女みたいなものよ。この子とおんなじだわ。私たちだって花を売ってるんだわ。うたちゃんなんか、タダで花を取りあげられちゃったのよ」

「そうよ、そうよ。ドアからドアへマッチを売りあるくように、私たちだって自分自身を売りあるいてるのよ。でも、どの男も本気で買い取ってはくれないんだわ。この子の花は売れなければしおれるまでこの子の物だけど、私たちは自分を預けてみなければ本当の事が判らないのよ。もっと不幸だわ」

女のひとりが、言いたいことを言い切ります。マダムは花売りのほうをみて、

「お帰りなさいよ。気の毒だけど、助けてはあげられないわ。みんなあなたとおなじなのよ」

花売り娘はそう言われて、しょんぼりと寒い外へ出て行きました。それをきっかけに、

客もスツールを降ります。

「俺も帰る」

客のいなくなった店の中で、女達が総がかりでうた子を励ましました。彼女らのまたふしあわせだったこの一年の終りに、せめてうた子ひとりくらい、掴みかけたしあわせを逃がさせたくはなかったのです。

女達の望みを一身に背負わされて、うた子はどうしても伊丹という男に、今夜逢わねばならない破目に追いやられて行きました。


その夜遅く、溝口時間研究所の玄関に、心細げなうた子の姿が現われました。呼び出された伊丹は、顔色を蒼白にして、人気のない研究室のほうへ彼女を連れ去ります。

寒々とした研究室の中で、うた子は必死に結婚を迫りました。それはもちろん彼女自身の願いでもありましたが、今夜のうた子には、それ以上に、仲間の女達のせつない、そしてはかなくいじらしい希望が託されていることが、大きな責任のように感じられているのです。

研究室の中で、伊丹はだんだん女の誠意に追いつめられていきます。苦い良心のトゲはしつこい女の言葉と重なって彼の胸を疼かせ、憎悪の黒い血をながします。

伊丹はその苦痛の中で、しだいに悪魔的になっていきました。彼はうた子の言葉にほだされたように見せかけて、不完全なタイムマシンの中へ彼女をさそいこみます。

男の腕に抱かれて、唇を押しつけられ、「必ず結婚するよ」と囁かれると、うた子は他愛なくそれを信じこみました。

「目をとじておいで、うた子、天国が見えるよ」と囁く伊丹の声の、甘さ、楽しさ。いつかうた子はタイムマシンの床に倒れて、男の愛撫を、もっとはげしい愛撫を待ちました……

伊丹が、悪魔的に目を光らせて、コントロール・パネルへ手をのばしたときも……伊丹が外へとびだし、タイムマシンが過去に向かって活動を始めたときも――うた子の顔は幸福に光り輝いていました。

翌る朝、新年を迎えた人々は、奇妙なマッチ箱のマッチで最後の暖をとったらしい、ひとりの女の凍死体の噂で夢中でした。しかし十九世紀のコペンハーゲンで、そのマッチ箱のレッテルに印刷された、「船来居酒屋　馬酔木(あしび)」という文字を読める者が、ひとりもいなかったのは、言うまでもありません。ただ人々は、彼女の幸福そうな死顔から、魂はきっと天国に行ったのだと、敬虔な面持で語りあったのです。

最後のクリスマス

筒井康隆

筒井康隆（つつい・やすたか）
一九三四年生。『朝のガスパール』で日本SF大賞、『わたしのグランパ』で読売文学賞。『世界はゴ冗談』『ジャックポット』など著書多数。

1

十二月に入るや否や、街中のありとあらゆるスピーカーはジングル・ベルといってがなり立て、建物のあらゆる軒下、天井からは金モール、銀モールが、いやらしくも猥褻にたれさがる。

おれはクリスマスが大きらいだ。

第一に下品だ。第二には騒々しい。

金のある連中は酒を飲んで酔っぱらい、女を抱いたり何かして歌をうたい、ごきげんである。だが、おれには金がない。おれがクリスマスを嫌いな第三の理由――それは金がなくて、クリスマスを楽しめないからである。

家はまずしい百姓だ。おれはこの町に下宿して大学に通っているのだが、送金がしばしばとぎれるので、アルバイトで稼がないと食うに困り、下宿代も払えなくなってしまう。

そんなおれではあるが、しかし人なみに、恋びとがいる。どんなに貧乏であっても、誰にだって恋だけはできる。

彼女の名は芽里（めり）――おれはメリーと呼んでいる。十八歳の可愛い娘だ。大学生である。彼女の家も貧乏らしい。家は郊外の住宅地にあって、そうとう大きい。しかし旧式の洋館で、今はすでにガタガタでボロボロ。むしろ西洋のお化け屋敷に近い。二、三度遊びに行ったことはあるが、おれはあんな陰気くさい家に住む気はしない。

「でも、わたしの家には大きな暖炉があって、大きな煙突があるわ」と、メリーはいう。おれが彼女の家をけなすと、彼女はいつもそういうのである。

おれと彼女が会う場所は、以前からずっと、街なかのビルの谷間にある『楡』という小さな喫茶店だ。ここは他の喫茶店ほどやかましくはない。

「いったい君は、暖炉や煙突がどうしてそんなに好きなんだい」

その日も、店の隅のテーブルでコーヒーをすすりながら、おれはメリーにそうたずねた。

「だって……」彼女は子供っぽいしぐさで、なぜかはずかしそうに身をくねらせ、それから大きな目でじっとおれの目を見た。

こいつがいいんだなあ。こいつをやられると、まったくたまらないよ。ぐっとくる。

抱きつきたくなる。だけどおれはまだ、彼女の手を握っただけで、キスもしていない。「だって、暖炉や煙突がなけりゃ、サンタのおじさんが入って来られないわ」彼女はそういった。

「なんだって？」おれはびっくりして、訊ね返した。「君、十八歳にもなって、大学生にもなって、まだサンタ・クロースを信じているのか？」

「あら。だって、ほんとにいるんですもの」彼女は怒ったように、さらに大きく目を見ひらいた。「毎年、イブにはプレゼントを持ってきてくれるのよ」

彼女の子供っぽさに、おれはあきれた。「それは君のお父さんが、サンタに化けてやってくるんだよ」

「わたし、パパいないのよ」

なるほど、そういえばそうだった。

「だけど、サンタなんていないんだよ」

「いるわよ」彼女はムキになって言いかえしてきた。「このダイヤの指輪だって、去年のクリスマスにもらったのよ」

彼女の突き出した白い指にはまっている指輪を見て、おれはびっくりした。もしダイヤだとすれば、充分三カラットはある大粒のダイヤなのだ。

「ガラスにきまってるさ」

そんなダイヤなど、貧乏な彼女に買えるはずがない。

「だって、ほんとよ。宝石屋さんに見せたって、本ものだっていうわ」

「見せたこと、あるのかい？」

「ないわ。だって、本ものにきまってるんですもの」

完全にサンタを信じこんでいる様子である。そういえば彼女の家は、熱心なクリスチャンだった。

彼女を怒らせてしまってはいけないので、おれは話題を変えようとした。

「そのサンタ・クロースは、毎年君に、そんなものをくれるのかい？」

「ううん。子供の頃はおもちゃをくれたわ。でも、二、三年前から、急にわたしを、大人あつかいしはじめたの。それで指輪や首飾りをくれるのよ」

「大人あつかい？」おれは聞き咎めた。「大人あつかいって、どんなことをするんだ？」

メリーは赤くなって、うつむいた。

「そりゃあ、つまり……その……。ふつうの男のひとが女のひとにするような、いいことをしてくれるのよ」

「な、なんだって」おれはおどろいて叫んだ。「じゃあ君は、そ、その男と……」

「サンタさんは、もう老人なので、早く子供がほしいんですって。それで、その子供をわたしに産んでくれって……」

「君は悪い男にだまされているんだ」メリーのあまりの純情さに、おれはあきれてしまった。「君はその男に肉体をもてあそばれているんだ」

「ちがうわ。あれはほんとに、サンタ・クロースよ」

「いつからだ！」見知らぬ男にメリーの処女を奪われてしまった口惜しさに、おれは泡を吹いて彼女を問いつめた。

「いつからって、何が？」

「その男と寝はじめたのはいつだ！」

あまり大きな声を出したものだから、店中の客がおれたちの方をじろじろと見た。

「二年前からなのよ」彼女は小声で答えた。

「で？　妊娠したのか？」

「まだいちども。残念だわ。サンタさん、今年もやってきて、子供がまだ生まれていないので、またがっかりして帰っていくわ、きっと」

「く、くそっ！」おれはバリバリと歯がみした。「君はそれを、おれに今までだまっていた。なぜだ。君はおれをだました。おれは今まで君を、処女だと思っていたのだぞ」

おれは口惜しさのあまり、泣き出してしまった。

「あら、だって、年にたった一度のことなんですもの」メリーはきょとんとしておれにいった。

「年に一度にしろ、君がすでに処女でないことはたしかだ。おれは口惜しい。おれはだまされた」おれはわめいた。

「ごめんなさい」メリーはしゅんとしてうなだれた。

「どこの誰かも知れぬ老いぼれに処女を捧げておきながら、おれには手を握らせてくれただけじゃないか」おれはくどくどと、なおも女々しく泣きごとをいった。

「なあんだ。じゃあ、あなたも、サンタさんと同じことがしたかったの?」彼女は目を大きく開き、明るい声でそういった。「それならそうと、早くいえばいいのに」

　こんどはおれがどぎまぎした。「そ……そりゃあ、だって、男として、あ、あたり前じゃないか……」

「じゃあ、行きましょうよ。どこかへ」彼女は朗らかな大声で立ちあがった。「そうだわ。この喫茶店の裏に、ちょうどホテルがあるわ」

「よ、よせよ」おれはうろたえた。店中の客が、あきれておれたちを見ているのだ。

　メリーは純真無垢である。羞恥心など、これっぽっちもないのだ。まったく変わった女の子である。

　おれはまっ赤になり、メリーをうながして店を出た。

　街の商店街はクリスマス一色に塗りつぶされ、ホワイト・クリスマスの曲がもの悲しく流れている。

こんな純情な若い娘をだますなんて、とんでもない奴だ——おれはそう思った。——くそっ、どうしてくれよう……。

ホテルの前まできて、おれは少しためらった。だが、メリーは平気でどんどん入っていく。

「どうしたの」彼女は怪訝そうにふり返り、おれにいった。

「早くいらっしゃいよ」

「う、うん……」しかたなく、おれは彼女に続いた。

ホテルの一室で向きあい、おれは彼女におずおずといった。

「じ、じつはおれ、女の子と寝るの、はじめてなんだ」

「わたし、教えてあげるわ」メリーは力強くうなずいて見せた。「サンタさんから教わったとおりに」

メリーの純情さを笑ってばかりはいられなかった。おれだって子供だった。ベッドに横たわった裸のメリーを見て、おれの膝は立っていられないくらい痙攣した。そして最初抱きあった時、とうとうとんでもないことをやってしまった。まちがえて小便をしてしまったのである。

だがもちろん、二度めはうまく愛しあうことができた。

愛撫の途中、おれは彼女の右の腕に、やけどの痕のようなものを見つけた。

「これ、何だい?」

「わからないわ。最近できたのよ」

ホテルを出てから、おれたちは通りすがりの貴金属店に入り、指輪の鑑定をしてもらった。おどろいたことに、ダイヤは本ものだった。

2

それから三週間ののち——。

すなわち十二月二十四日の夜、つまり、クリスマス・イブだ。

おれは大学の射撃部の友人に借りたライフルを持ち、夜になってからたったひとりで、郊外のメリーの家へやってきた。一軒だけぽつんと建った西洋館は、森と泉にかこまれて静かに眠っていた。あたりはもちろん、ひっそりとしている。

メリーの家にしのび寄り、壁のツタを足がかりにして、屋根に登ったおれは、でかい煙突のうしろへライフルをかかえてうずくまり、その悪党を待ち伏せすることにした。

どこの男か知らないが、だいじな恋人をもてあそばれ、おもちゃにされてたまるものか……。万が一の場合は、射殺してやる覚悟だった。

だが、もしも——おれは、ふと考えた——やってきたのが、ほんとにサンタ・クロースだったらどうしよう?

なあに、かまうものか。いくら相手が神様だって、ひとの恋人を横どりしていいわけはない。一発お見舞いしてやるぞ。神様だから死ぬわけはないし、死んだとしても、殺人罪にはならない理屈だ。あっちはメリー・クリスマスとしゃれたつもりで、メリーに目をつけたのだろうが、おれにとっては、メリーがサンタ・クロース二世などを産んでは、大変である。神様の母親だというので、セント・メリーとか何とか、呼ばれるようになったのでは、だいいち、つき合いにくくて困る。そんなことを考えながら、じっと待っているうちに、だんだん夜がふけてきた。

もう、屋根の下にいるメリーも、眠っている頃だろう。サンタおじさんの来るのを無邪気に待ちながら……。

街の方を見ると、ドーム型のスモッグの中に、明かりがぼうと映えていた。街では今、イブのどんちゃん騒ぎのまっ最中にちがいない。

寒くなってきたので、おれはジャンパーの衿(えり)を立てた。そろそろ、おれの恋敵のやってくる時間だ。

空には星がなかった。最近では郊外のこのあたりさえ、都市の煤煙のために星が見られなくなっているのだ。

やがて、かすかに鈴の音が聞こえてきた。おれは空を見あげた。鈴の音は次第に高くなり、頭上から近づいてきた。

まさかとは思っていたのだが、スモッグの中から夜空にあらわれたのは、六頭のトナカイに橇をひかせたサンタ・クロース――まぎれもなく、絵本でおなじみのサンタ・クロースその人だったのである。

「そ、そんな馬鹿な……」おれはしばらく、呆然と頭上をながめ、やがて、はげしくかぶりを振った。「こんな馬鹿なこと、あるわけがない」

しかし橇は、鈴の音高くおれの方へ近づいてきて、すっと屋根の傍らの宙に浮かんでとまった。

あっけにとられて、煙突の陰に身をひそめたまま眺めていると、スモッグで顔をどす黒くしたサンタ・クロースは、喘息性の苦しそうな咳をしながら橇をおり、屋根の上をこちらへやってきた。

肩にかついだ大きなズタ袋の重みによろめきながら、やっと煙突にたどりついたサンタが、その中へ入ろうとした時、おれは立ちあがり、サンタの胸にライフルの銃口をつきつけた。

「こら」と、おれはいった。「どこへ行く。家宅侵入罪だぞ」

「わしは泥棒ではない。いつも間違われて困るのじゃ」サンタはおれにいった。「ごらんの通り、わしはサンタ・クロースじゃよ」

「子供だましはよせ。貴様が、サンタに変装した泥棒でないという証拠がどこにある」

おれは彼の方へ、一歩近づいた。

「知っているぞ。お前はメリーのからだをなぐさみものにしているな。メリーはおれの恋人だ。どうしてくれる。お前みたいなおいぼれに、メリーのからだを奪われたのでは黙っていられない。このオトシマエをどうつける気だ」サンタにすごみながら、おれはまるでヒモになったような気がした。

「まあ、お待ちなさい、お若いの」サンタはおれの見幕にたじたじとしてあと退(ずさ)りながらいった。「恋人がいるとは思わなかったのじゃ。これにはいろいろとわけがあって……」

弁解するサンタの顔をつくづくと眺め、おれは少しおどろいた。彼の顔の左半分は大きく焼けただれていた。

「その傷はなんだ」と、おれは訊ねた。「暖炉の火でやけどでもしたのか?」

「そうではない」サンタは悲しげにかぶりを振って答えた。

「一九五七年に、イギリスがクリスマス島で原水爆の実験をやりおった。とばっちりを受けて、わしはこのざまじゃ。あのトナカイたちを見てやってくれ。あいつらはその時、放射能を受けたトナカイの息子たちじゃよ」

あらためて、屋根の庇(ひさし)の外がわの宙に浮かんでたたずんでいる六頭のトナカイを見て、おれはぎょっとした。六頭とも、全身の毛が半分がた脱け落ち、ピンクの地肌がむき出しになっている。しかもほとんどのトナカイが、奇型だった。

口が耳まで裂けた奴。目が三つある奴。ツノの数が六本もある奴。前足が一本しかない奴。目の位置が下へずり下がって、片目が口の端とくっついている奴。先頭にいる奴などは全身まっ白で、しかも頭がふたつあった。この世のものとも思えない彼らの様子に、おれはふるえあがった。

放射能を受けたトナカイの染色体が変化を起こし、その遺伝子の影響でこんな連中が生まれたらしい。

「わしの白血球の数も、どんどん減っていく」と、サンタはうなだれていった。「もう、余命イクバクもない。早くあと継ぎを産んでおかぬことには、サンタ・クロースの血筋が絶える」

そこまで聞いて、おれはとびあがった。「だからメリーに、あと継ぎを産ませるというのか」

「そうだ」

「冗談じゃない」おれは泡をくって、トナカイたちを指した。

「メリーが、あのトナカイたちみたいな、奇型の子を産んでたまるものか。無茶なことをいう奴だ。それでもお前は神様のつもりか。お前みたいな老いぼれは死ね」おれはわめきちらした。「死ね死ね死んでしまえ」

サンタ・クロースは泣き出した。「ああ。神もほとけもないものか」

「神様は手前じゃないか。いいか。お前がサンタ・クロースだということは信じてやる。だが、お前はもう現代には無用の神様なのだ。現代のクリスマスは、本もののサンタ・クロースを必要としていないんだ。今では子供でさえ、サンタを必要とはしていない。現代の人間には、現代の人間としての夢がある。そこへ古くさい夢を持ち込まないでくれ」

「しかし、メリーさんはわしを信じてくれておるのじゃ。わしはもう、この家へやってくるのがせいいっぱいで、他所へまわる余力はない。しかしわしは、旧式な人間――じゃなかった。旧式な神様じゃから、仕事だけが、唯一の楽しみなのじゃ。たのむから、わしに残された、たったひとつの仕事を、とりあげないでくれ」

「仕事が聞いてあきれる」おれは怒鳴りつけた。「女の子をたぶらかすのが仕事か」

「たぶらかしたわけではない」

「さあ。帰れ。メリーはおれの恋びとだ」

サンタはしょげ返った。「すでに恋びとがいたのではしかたがない。メリーさんは、あきらめるとしよう」

とぼとぼと、屋根の上を橇の方へ引きかえしかけたサンタを、おれは呼びとめた。

「おい、待て」

　サンタはふり向いた。「まだ何か用があるのか」

「ある」おれはふたたび、ライフルの銃口を彼に向けた。

「そのズタ袋を、そこへ置いていけ」

　サンタは青くなって、かぶりをふった。「この袋は渡すわけにいかん。これは商売道具じゃ」

「そして他所(よそ)の女の子を、その中の指輪や首飾りでたぶらかす気だろう。いかん。こっちへ寄越せ。お前はさっき、他所へまわる余力はないと言ったろう。もうどこへも行かないで、隠居したらどうだ」

「何と言われても、この袋はだめだ」

「ぶっぱなすぞ」おれは彼に一歩近づいた。

　サンタはふるえあがり、あわてて袋を屋根におろした。

「女を寝取られた精神的衝撃の代償——つまり慰謝料として、この袋はもらっておく」おれは袋をかつぎあげ、サンタにいった。「さあ。失せろ」

　サンタはしばらく、恨めしげにおれの顔を眺めて立ちつくした。だが、やがて嘆息し、肩を落としてすごすごと橇に乗り、ふたたびトナカイに笞打(むちう)って、スモッグだらけの夜空へと引き返していった。

下宿へ戻ってから、おれは分捕品の袋をあけ、中身をあらためた。貴金属の指輪、首飾り、耳輪、腕輪、時計などが、低学年児童向きの他愛ないオモチャにまじって、ぞくぞくと出てきた。玩具はすべて捨てることにしたが、それでも、貴金属類は部屋いっぱいになった。

いくらとり出しても、袋はからっぽにならなかったからである。

おれは有頂天になった。もう、つらいアルバイトをしなくてもいいし、一生金には困らないのだ。一週間ばかり、おれは貴金属の山にかこまれて、外出もせず、楽しい夢にひたり続けていた。

メリーが一度、遊びにやってきたが、おれは彼女を部屋へ入れずに追い返した。部屋の中のありさまを見られては大変だと思ったからだし、正直なところ、メリーなんて小娘は、もうどうでもよくなっていた。

ところが一週間め、おれは何となくからだがだるく、頭痛がするので、ふらふらしながら病院へ出かけた。

診察の結果を聞いて、おれはとびあがった。白血球の減少が見られるというのだ。欲に目がくらみ、そこまでは考えていなかったのである。

部屋いっぱいの貴金属——それはもはや、貴金属ではなかったのだ。今はすでに、それらのすべては、恐るべき放射性同位元素に変化していたのである。

次の日、おれの頭髪は、ほとんど脱け落ちてしまっていた。

解説

新保博久

サンタクロースの正体が自分の親だと知ったのは、何歳のときだっただろう。そういう個人的なことは文献を調べても分かるはずがなく、文学史的な事柄のほうがまだしも組しやすい。

クリスマス・ストーリーは元来、キリスト降誕祭の夜、宗教教育の一環として子供に聖書の一部を読み聞かせたのが始まりらしい。それが創作文学のサブジャンルにまで発展するきっかけとなったのは、チャールズ・ディケンズの『クリスマス・キャロル』にほかならない。一方アメリカにおいて、世界最初の推理小説といわれる「モルグ街の殺人」をエドガー・アラン・ポーが発表したのがその前々年——一八四一年だから、クリスマス・ストーリーとミステリーはほぼ同じ長さの歴史をもつわけだ。両方にまたがる収穫が数多く存在するのも不思議はない。

厳密にはクリスマス・ストーリーでは、子供が重要な役割を負うこと、必ず奇蹟が起こること、幽霊が登場すること、結末に至って読者が幸福感を味わえるような物語であること、といった制約がある。主要人物に子供を使うのは難しくはないし、奇蹟のほうもトリックを用いるなら推理作家にとっては造作もない。しかし、なかには放蕩（ほうとう）息子が帰還することといった、「火事息子」じゃあるまいし、日本の作家には扱いかねるような条件もある。そこで思い浮かぶのが、アガサ・クリスティの『ポアロのクリスマス』、エラリイ・クイーンの『最後の一撃』、ヘレン・マクロイの『読後焼却のこと』、キャロル・オコンネル『クリスマスに少女は還る』といった長篇だが、さすがに英米作家は放蕩息子の帰還という要素を巧妙にプロットに溶かし込んでいる（オコンネル作品は息子ならぬ娘で、帰還ぶりも特異ながら）。

とはいえ、短篇にまでそれら諸要素をすべて盛り込むよう期待するのは酷だろう。そもそも元祖『クリスマス・キャロル』にしてからが、条件の全部をクリアしているわけではない。この『サンタクロースの贈物』に収めた作品でも、O・ヘンリー「警官と讃美歌」（『サンデーワールド』一九〇四年十二月四日号）やジョルジュ・シムノン「児童聖歌隊員の証言」（一九四七年『メグレと無愛想な刑事』に書き下ろし？）は、もとよりクリスマス・シーズンの出来事と断られていないし、ジョン・コリア「クリスマスに帰る」（『ニューヨーカー』一九三九年十月七日号）に至っては九月ごろの季節設定だ。O・ヘンリーのクリスマス・ストーリーといえば、「賢者の贈物」が有名だが、推理作家でないO・ヘンリーをミステリー・アンソロジーに採るなら、犯罪者と警察官との攻防を描く本篇のほうがふさわしいだろう（犯罪者が逃げるわけでなく、捕らえてもらいたがるのだが）。「児童聖歌隊員の証言」はまさに子供が目撃証人となるばかりか、メグレがサンタクロース役を務める趣向もあり、どうしてクリスマス・ストーリーにしなかったのか奇異に思われるほどだ。メグレの部下の無愛想な刑事ロニョンが単独で顔を見せる掌篇「小さなレストラン」が純正なクリスマス物だが、シャーロック・ホームズ、ブラウン神父、ミス・マープル、エラリイ・クイーンら、名探偵集合の趣もある本集にはメグレ物が欲しいところ、中篇「メグレ警視のクリスマス」や、「生と死の問題」の警部がメグレに改変された「メグレとパリの通り魔（手帳の小さな十字印）」は長すぎよう（なおCommissaire Maigretは近年「メグレ警視」と訳されるが、フランスと日本とは警察制度が違うし、警視がこんなにみずから聞き込みに回ることは日本ではあり得ないので、警部のほうがまだしも適切だという意見もある）。時季ということにこだわらないで、それらしい雰囲気があるとか、クリスマスに関連性があればよし、と考えた結果の選択だが、クリスマスはまた寛容の季節でもあるので、深く咎めないでください。

しかし、「今はクリスマスで、ゆるしの季節だ」とシャーロック・ホームズが犯人を見逃してやる「青いガーネット」（『ストランド・マガジン』一八九二年一月号）では、冤罪で拘留されている者を救うほうが急務ではないか。ホームズ譚の長篇四、短篇五十六作のうち、クリスマスに絡むのは本篇が唯一だが、粒揃いの第一短篇集『シャーロック・ホームズの冒険』のなかでは傑出しているとは正直思われない（日本での人気は高いようなのだが）。初めの六篇で打ち切るつもりが編集部の懇請に負けて、とりあえず時節柄クリスマス・ストーリーを意図し、深く考えずに筆を起こしたかに見える。概して赤色などしか存在しないはずのガーネットに青いものが存在するのも適当（だから珍品で高価なのか）

だし、それがホームズの手に渡った奇遇も関係者たちの口から語られるだけで推理らしいものがない。冒頭の帽子の持主をめぐる推理は、事件を推理する要素が乏しいのを償ってくれるとはいえ、「一九世紀当時には『大きな頭は大きな頭脳、大きな頭脳は大きな知性』という三段論法は、広く信じられていた」（ベアリング＝グールド注『詳注版シャーロック・ホームズ全集3』ちくま文庫）という理屈も現代読者には納得しにくい。――とまあ、収録しておいて悪口ばかり並べてしまったが、こうした〝ゆるさ〟が読者には親しみやすく、ホームズ譚が長く広く愛されてきた秘密があるようにも思う。

　ある意味でブラウン神父シリーズはもっと〝ゆるい〟のだが（代表作「見えない男」を見よ）、G・K・チェスタートンは言葉の力業でねじ伏せてしまう。「飛ぶ星」（『カッセルズ・マガジン』一九一一年六月号）が必ずしも評価が高くないのは、それほど強烈な飛躍がなくて力業が発揮されなかったせいかもしれない。クリスマス物語が雑誌の十二月号や、十二月売りの一月号に掲載されるのが通例のところ、夏場に発表されたのも逆説家チェスタートンらしく皮肉っぽい。第一短篇集『ブラウン神父の童心』での配列と違って十二篇の十一番目に発表されたが、はじめブラウン神父の敵役として登場する怪盗フランボーが神父に心服して私立探偵に転業するのを、より自然な展開にするためのエピソードとして用意されたようでもある。

「クリスマスの悲劇」（『ザ・ストーリーテラー』一九三〇年一月号）はミス・マープルのデビュー・シリーズで、マープル家に集まった五人の男女がそれぞれ見聞した犯罪事件の話をし、真相の当てっこを試みるが、正解は常にマープルが的中させるという『ミス・マープルと13の謎』（一九三二年。米版『火曜クラブ』三三年）の一篇だ。話を聞いただけで真相に達する安楽椅子探偵（アームチェア・ディテクティヴ）が基調であっても、「クリスマスの悲劇」のようにマープルが話し手となる場合は過去の手柄話を語ることになる。本篇のトリックは独創的ではないものの、扱い方が巧みで、すぐにはそれと気づかせないが、前掲の長篇『ポアロのクリスマス』について間羊太郎が『ミステリ百科事典』（文春文庫）で評したのと同じく、「クリスマスのムードは全く感じられない」のは単に一月号ということに配慮しただけのせいだろうか。アガサ・クリスティ自身、祖母をモデルにしたというマープルの物語を「書いているうちに、このふんわりした感じの老婦人への愛着が一段と強まって、なんとか彼女に人気が出てほしいと願っ」（一九五三年「著者まえがき」）たそうで、長篇『牧師館の殺人（ミス・マープル最初の事件）』（一九三〇年）を書いたのも、連作短篇集を刊行させるための交換条件だったのかもしれない。このころ作者は四十代に入ったばかりだが、マープル物の長篇をポアロ物と雁行させて積極的に書くようになったのは二十年後で、心身ともにマープルに同化して描けるようになるまでに、それだけ時間がかかったのだろう。

　ここまで本書を順番に読んできた読者は、初めて殺人事件が出てきたということに気づかれただろうか。クリスマス・ミステリーには殺人が少ないのだ。「児童聖歌隊員の証言」は少年の見た死体が消えても殺人事件だが、いちばんクリスマスの季節に遠い「クリスマスに帰る」には収録作品ちゅう最も残虐な行為が出てくる。それをあからさまに書かないで、うっかりすると読み飛ばしかねないほど暗示的にとどめているのは、書かれた時代のためもあるだろうが、直接言わずにほのめかすのが、そもそもジョン・コリアの身上にほかならない。

エラリイ・クイーン「クリスマスと人形」（『エラリイ・クイーンズ・ミステリ・マガジン』本国版一九四八年十二月号）も殺人ではなく、作者と同名の探偵エラリイと、アルセーヌ・ルパンばりの予告怪盗との知恵比べである。クイーンという筆名を共有する二人のうち、フレデリック・ダネイがプロットを立て、いとこのマンフレッド・リーが小説化するという分業体制なのだと両氏の生前から噂されていた（リーが先に亡くなったあと新作は発表されていない）が、近年、F・M・ネヴィンズ『エラリー・クイーン 推理の芸術』、ジョゼフ・グッドリッチ編のダネイ〜リー書簡集『エラリー・クイーン 創作の秘密』が刊行されて（邦訳はともに国書刊行会）、いろいろ新しい情報が伝えられた。後者の一九四八年七月末の往復書簡によれば「クリスマスの人形」は原型のラジオドラマからして例外的にリーがプロットも立てたそうで、あまりクイーンらしくない設定はそのせいかもしれない。一年のその月その月にちなんだ事件を並べるという、趣向そのものはいかにもクイーン好みの連作『犯罪カレンダー』（一九五二年）の最終話に据えられた。

日本の名探偵では唯一、歌舞伎役者の中村雅楽が本集に参加している。明智小五郎や金田一耕助ほどの知名度はないものの、戸板康二は〈中村雅楽探偵全集〉（創元推理文庫）全五巻が出ているくらいで、お読みいただければ、ホームズやミス・マープルに伍して顔を並べているのにも納得がいくだろう。どのみち横溝正史の『悪魔の降誕祭』など長すぎて収められない。「死んでもCM」（『宝石』一九六〇年六月号）という題名は、今や若い読者向けに説明が必要だが、日清戦争で敵弾を受けながら口から進軍ラッパを離さないまま落命した木口小平陸軍二等卒が「死んでもラッパを離しませんでした」と軍務への忠実ぶりを称えられたのに由来している。中村雅楽シリーズ初期の、梨園が消滅しそうな歌舞伎界殺人事件の連発から一転、中後期の〝日常の謎〟へと向かう過渡期の一篇だ。

以下の五篇は、加田伶太郎（福永武彦）「サンタクロースの贈物」（『別冊クイーンマガジン』一九六〇年冬号）以外は、純文学畑の山川方夫「メリイ・クリスマス」（『ヒッチコック・マガジン』日本版一九六二年十二月号）を含め、SFの範疇に入る。いずれもショート・ショートなので、分量的には付け足りのように見えかねなくとも、作家も作品も一騎当千なので堪能していただけよう。

海外篇には、変装にせよサンタクロースが姿を見せないが、星新一「クリスマス・イブの出来事」（『資生堂チェインストア』一九六四年十二月号）と筒井康隆「最後のクリスマス」（『平凡パンチ』一九六七年十二月十一日号）には本物（！）が登場する。クリスマス・ストーリーの掟に反して、幸福な結末といえないのは、心底からキリスト生誕を祝う土壌のない日本ならではのシニカルな視線ゆえだろう。それにしても、半村良「マッチ売り」（『S－Fマガジン』一九六三年十月号）の結末は哀しすぎると感じる読者のために、初出誌の末尾には〝タイムマシン管理委員会報告〟として、山本うた子と溝口和子のそれぞれ脳組織が交換され、伊丹良も追って処罰されると付記されていたことをお伝えしておこう。

本書は一九七九年十二月『サンタクロースの贈物——クリスマス・ミステリー傑作選』として河出書房新社から単行本として刊行されたが、私が企画を持ち込んだ際の腹案としては、日本作家のものだけを集め、日本人のクリスマス観を窺えるようにしたいとも考えていた。ところが、「海外にはこんな作品がありますよ」と参考のために添えたコピーのほうが編集部のI氏に気に入られ、翻訳物をメインにする形に落ち着き、名義上の編者は田村隆一氏にお願いした。あいにく再録の許諾を得るのに手間取り時機を逸して、刊行は翌年に持ち越され、ミステリーやSFに限定しない長島良三編のクリスマス・ストーリー集『贈り物』『クリスマスの悲劇』(一九七八年、角川文庫)の後塵を拝したのにも忸怩たる想いを禁じ得ない。今回の文庫化に当たって、当初の案に従って編みなおしたい欲求にも駆られたが、これはこれで通読しても面白いので、より新しい翻訳のあるうち四篇の訳文を差し替えるだけに留めた。ことに翻訳物に関しては、昭和からの筋金入りのミステリーファンには目新しさがないかもしれないが、これで初めて出会うという若い層も育っているだろうし、大半を既読の読者もたぶん記憶は薄れかけていそうだ。すべての読者にとって本書が楽しいクリスマス・プレゼントになることを願ってやまない。

出典一覧

（ここに記載のない作品については、一九七九年小社刊行の書籍『サンタクロースの贈物』を底本とした）

「青いガーネット」　『シャーロック・ホームズの冒険』河出文庫　二〇一四年

「飛ぶ星」　『世界の名探偵コレクション10　3ブラウン神父』集英社文庫　一九九七年

「クリスマスの悲劇」　『ミス・マープルと13の謎』創元推理文庫　二〇一九年

「クリスマスに帰る」　『炎のなかの絵』早川書房　二〇〇六年

「クリスマス・イブの出来事」　『エヌ氏の遊園地』新潮文庫　一九八五年

「最後のクリスマス」　『くたばれＰＴＡ』新潮文庫　一九八六年

本書は、一九七九年一二月に小社より刊行された書籍『サンタクロースの贈物』を再編集のうえ文庫化したものです。本文中、今日では差別表現につながりかねない表現がありますが、作品が書かれた時代背景と作品の価値をかんがみ、そのままとしました。

サンタクロースの贈物（おくりもの）

クリスマス×ミステリーアンソロジー

二〇二一年一一月一〇日　初版印刷
二〇二一年一一月二〇日　初版発行

編　者　新保博久（しんぽひろひさ）
発行者　小野寺優
発行所　株式会社河出書房新社
〒一五一－〇〇五一
東京都渋谷区千駄ヶ谷二－三二－二
電話〇三－三四〇四－八六一一（編集）
〇三－三四〇四－一二〇一（営業）
https://www.kawade.co.jp/

ロゴ・表紙デザイン　粟津潔
本文フォーマット　佐々木暁
印刷・製本　中央精版印刷株式会社

Printed in Japan　ISBN978-4-309-46748-1